La vie d'Al

UN ENFANT PAUVRE

Né le 7 novembre 1913 à Mondovi, en Algérie, Albert Camus est le fils d'un ouvrier caviste mort à 28 ans à la bataille de la Marne (1914). Sa mère, Catherine Sintès, d'origine espagnole, émigre alors à Alger où elle s'installe dans le quartier populaire de Belcourt. Pour nourrir ses deux fils, Lucien et Albert, elle fait des ménages. Camus éprouve pour elle une affection sans bornes, mais il n'y aura jamais de véritable communication entre l'enfant et cette mère exténuée par le travail, à demi-sourde et presque analphabète. Camus est surtout élevé par une grand-mère autoritaire, et par un oncle boucher, lecteur de Gide.

À l'école de Belcourt, l'instituteur Louis Germain, conscient des facultés intellectuelles de l'enfant, le fait travailler bénévolement après les heures de classe afin de le préparer au concours qui fera de lui un élève-boursier du lycée d'Alger. Le discours de Suède (1957), lors de la remise du prix Nobel de littérature, sera dédié à l'instituteur grâce à qui il put poursuivre des études.

LES ANNÉES DE FORMATION

Camus est un adolescent heureux de vivre, sensuel, amoureux de la mer et des paysages algériens. Excellent nageur, c'est pourtant le football qui a sa préférence. Il se passionne pour le théâtre, joue dans une troupe d'amateurs, et déjà épris de justice, s'apprête à militer.

À la khâgne d'Alger, il a pour professeur Jean Grenier qui a une influence déterminante sur sa formation. En 1936, la licence de philosophie achevée, Camus prépare son diplôme d'études supérieures sur « les rapports du néoplatonisme et de la métaphysique chrétienne », mais les premières atteintes d'une tuberculose qui le contraindra à de fréquents repos en cure lui ferment l'accès à l'agrégation (il est rejeté deux fois à l'examen médical) et du professorat auquel il se destinait. Il se marie, mais cette union hâtive est rompue deux ans plus tard, et

Albert Camus.

il divorce en 1934. Il doit rompre également avec le parti communiste qui le somme de réviser ses convictions, favorables aux revendications musulmanes.

UN JOURNALISTE ENGAGÉ

Camus fonde en 1935, avec Pascal Pia qui en est l'instigateur, le journal *Alger républicain* qui aussitôt tranche avec le silence complice des autres quotidiens. Camus fait scandale par ses prises de position contre l'oppression coloniale, contre une tutelle qui maintient dans la misère et l'asservissement le peuple musulman (reportage en Kabylie). En 1939, le journal est placé sous surveillance, Camus sommé de quitter Alger. Il part pour Paris avec sa seconde femme. Là, il est engagé au journal *Paris-Soir* qu'il suit à Clermont-Ferrand après l'armistice. Surtout, engagé dans la Résistance dès 1941, chargé de missions de renseignements, il sera l'âme du journal clandestin *Combat*. Il en assume la direction jusqu'en 1947, dénonçant, la paix revenue, la sauvagerie de la justice sommaire d'après-guerre (à l'encontre des ex-collaborateurs), les massacres de Sétif (1945) et de Madagascar (1947) : « nous faisons dans ces cas-là ce que nous avons reproché aux Allemands de faire ».

La cessation des activités journalistiques ne marque pas, loin s'en faut, la fin de l'engagement. Camus a toujours fait entendre sa voix et pris position dans l'Histoire, inlassablement lutté pour la justice et la défense de la dignité humaine :

1949 : appel en faveur des communistes grecs condamnés à mort ;

1952 : démission de l'Unesco, qui admet en son sein l'Espagne franquiste ;

1956 : protestation contre la répression soviétique en Hongrie ; défense des libéraux d'Algérie et proposition d'une trêve.

UN ÉCRIVAIN HUMANISTE

Si *L'Envers et l'Endroit,* et *Noces,* pouvaient déjà apparaître comme des œuvres originales, la publication presque simultanée de *L'Étranger* et du *Mythe de Sisyphe* (1942) salue la naissance d'un grand écrivain, qui devient, l'année suivante, lecteur chez Gallimard et dont la production sera riche et variée. (Récits : *La Peste, La Chute* ; essais : *L'Homme révolté, l'Été* ; chroniques : *Actuelles* ; nouvelles : *L'Exil et le Royaume*). Surtout, la passion de jeunesse pour le théâtre est toujours aussi vive ; production personnelle : *Caligula, Le Malentendu, L'État de Siège, les Justes* ; adaptations (de Calderon, Lope de Vega, Dostoïevski, Buzzati) ; Camus envisageait, peu de temps avant sa mort, de prendre la direction d'une salle parisienne.

Une ombre : après une amitié de huit ans, la rupture avec Sartre et l'équipe des *Temps modernes* à propos de *l'Homme révolté* (1952) : Sartre reprochait à Camus son anticommunisme et sa soumission aux valeurs bourgeoises.

Une joie, qui est revanche sur la misère du gamin de Belcourt : reconnu par le Tout-Paris intellectuel et artistique, Camus voit, le 10 décembre 1957, sa carrière couronnée par le prix Nobel de littérature.

Le 4 janvier 1960, Albert Camus est tué sur le coup dans un accident d'automobile près de Montereau, au lieu-dit « Le Grand Frossard », dans la voiture de Michel Gallimard.

Remise du prix Nobel de littérature à Stockholm,
en présence de la famille royale de Suède (11 décembre 1957).

La vallée d'El-Amel, près d'Oran.

VIE ET ŒUVRE D'ALBERT CAMUS	ÉVÉNEMENTS POLITIQUES, SOCIAUX ET CULTURELS
1913 Naissance à Mondovi (7 novembre).	**1913** Proust ; *Du côté de chez Swann* ; Apollinaire : *Alcools*.
	1914 → 1918 Première Guerre mondiale.
1914 Mort de son père ; installation de sa mère à Alger.	**1914** Bataille de la Marne ; début de la guerre des tranchées.
	1916 Freud : *Introduction à la psychanalyse*.
1918 Entre à l'école communale de Belcourt.	**1918** Fin de la guerre. Manifeste du mouvement Dada à Zurich (Suisse).
	1920 Création de la Société des Nations (S.D.N.) ; congrès de Tour ; naissance du P.C.F.
	1921 Einstein : *Quatre Conférences sur la théorie de la relativité*.
	1922 Mussolini au pouvoir. Joyce : *Ulysse*.
1923 Boursier au lycée Bugeaud d'Alger.	**1923** Occupation de la Ruhr.
	1924 Breton : *Manifeste du surréalisme*.
	1925 Pacte de Locarno.
	1927 Guerre civile en Chine. Mauriac : *Thérèse Desqueyroux*. Traversée de l'Atlantique par Lindbergh.
1928 Entre au Racing Universitaire d'Alger.	**1928** Malraux : *Les Conquérants*.
1929 Camus lit Gide.	**1929** Krach de Wall Street. Faulkner : *Le Bruit et la Fureur*.
1930 Passe son baccalauréat. Premières atteintes de tuberculose.	**1930** Début de la crise financière aux États-Unis.
1931 Lettres supérieures ; rencontre avec Jean Grenier.	**1931** Exposition coloniale à Paris.
	1932 Arrivée de la crise économique en France ; agitation politique. Céline : *Voyage au bout de la nuit*.
1933 Milite contre le fascisme.	**1933** Accession d'Hitler au pouvoir. Malraux : *La Condition humaine*.
1934 Premier mariage (rompu deux ans plus tard). Adhésion au Parti communiste.	**1934** Émeutes du 6 février ; contre-offensive de la gauche.
	1935 Constitution du Front populaire. Giraudoux : *La guerre de Troie n'aura pas lieu*.
	1936 → 1939 Guerre civile en Espagne.

1936	Diplôme d'Études supérieures de philosophie. Fonde le théâtre du Travail, qui deviendra plus tard Théâtre de l'Equipe ; rédaction collective d'une pièce militante, *Révolte dans les Asturies* ; tournées en Algérie.	1936	Victoire du Front populaire en France ; Léon Blum au pouvoir. Picasso : *Guernica*.
1937	Journaliste à l'*Alger républicain*. *L'Envers et l'Endroit* (essais) ; anime le Théâtre de l'Equipe. Pour raisons de santé, doit renoncer à passer l'agrégation de philosophie.	1937	Grave crise sociale en France. Démission de Léon Blum. Malraux : *L'Espoir*.
1938	Mise en scène des *Frères Karamazov*, de Dostoïevski.	1938	Sartre : *La Nausée*. Fin du Front populaire ; gouvernement Daladier ; annexion de l'Autriche par Hitler ; accords de Munich.
		1939 → 1945	**Deuxième Guerre mondiale.**
1939	*Noces* (essai) Enquête en Kabylie.	1939	Fin de la guerre d'Espagne. Pacte germano-soviétique.
1940	Second mariage ; expulsé d'Alger ; secrétaire à *Paris-Soir* ; termine *L'Étranger* ; se replie à Clermont-Ferrand, puis à Lyon. Retour en Algérie.	1940	Défaite de la France ; exode. Signature de l'armistice par le maréchal Pétain. Le général de Gaulle à Londres. Chaplin : *Le Dictateur*.
1941	Entre dans la Résistance à l'intérieur du réseau *Combat*.	1941	Entrée en guerre de l'U.R.S.S. et des U.S.A. Orson Welles : *Citizen Kane*.
1942	*L'Étranger* (roman) ; *Le Mythe de Sisyphe* (essai).	1942	Début des déportations ; débarquement allié en Afrique du Nord.
1943	Lettres à un ami allemand ; première version de *La Peste*.	1943	Débarquement allié en Sicile ; chute de Mussolini. Sartre : *L'Être et le Néant*.
1944	Journaliste à *Combat*. *Le Malentendu* (théâtre).	1944	Débarquement en Normandie ; libération de la France. Eluard : *Aux rendez-vous allemands*.
1945	*Caligula* (avec Gérard Philipe).	1945	Conférence de Yalta ; armistice (8 mai). Bombe atomique à Hiroshima. Découverte des charniers. Procès de Nuremberg. Création de l'O.N.U. Aragon : *La Diane française*.
1946	Voyage aux États-Unis.	1946	Début de la guerre d'Indochine (1946 → 1954). Quatrième République. Prévert : *Paroles*.
1947	Quitte *Combat*. *La Peste* (roman) ; reçoit le prix des Critiques.	1947	Début des procès à l'Est (1947 → 1953) et de la guerre froide.

1948	*L'État de Siège* (théâtre).	1948	Création de l'État d'Israël. Blocus de Berlin. Sartre : *Les Mains sales.*
1949	Représentation des *Justes* au théâtre Hébertot.	1949	Formation de la Chine populaire. Création de l'O.T.A.N.
1950	*Actuelles* I ; *Le Minotaure ou la halte d'Oran.*	1950	Guerre de Corée (1950 → 1953). Ionesco : *La Cantatrice chauve.*
1951	*L'Homme révolté* (essai).	1951	Début des luttes pour l'indépendance en Tunisie et au Maroc. Gracq : *Le Rivage des Syrtes.*
1952	Polémique et rupture avec Sartre. Démission de l'UNESCO	1952	Eisenhower président des U.S.A. Jean Vilar au T.N.P.
1953	*Actuelles* II ; mise en scène pour le festival d'Angers.	1953	Mort de Staline ; émeutes à Berlin-Est. Beckett : *En attendant Godot.*
1954	*L'Été* (essai).	1954 → 1962	Guerre d'Algérie.
1955	Mise en scène de *Un cas intéressant*, de Dino Buzzati, au théâtre La Bruyère.	1955	Entrée du Tiers-Monde sur la scène politique. Lévi-Strauss : *Tristes Tropiques.*
1956	*La Chute* (roman). Lance un appel à la trêve civile en Algérie ; invite les intellectuels à protester à l'O.N.U.	1956	Indépendance du Maroc et de la Tunisie.
1957	*L'Exil et le Royaume* (nouvelles) ; *Réflexions sur la peine capitale* (en collaboration avec Arthur Koestler). Prix Nobel de Littérature ; *Discours de Suède.*	1957	Communauté économique européenne. Luttes politiques en France contre la guerre d'Algérie.
		1958	Naissance de la Cinquième République ; De Gaulle au pouvoir.
1959	*Les Possédés* (adaptation pour le théâtre du roman de Dostoïevski).	1959	L'autodétermination proposée aux Algériens. Truffaut : *Les 400 Coups.* Sarraute : *Le Planétarium.*
1960	Mort accidentelle (le 4 janvier).	1960	Début des indépendances en Afrique noire ; barricades à Alger. Fellini : *La Dolce Vita.*
		1961	Échec du putsch des généraux à Alger.
1962 → 1964	*Carnets* (posthume).	1962	Accords d'Évian ; indépendance de l'Algérie. Soljenitsyne : *Une journée d'Ivan Denissovitch.*
1971	*La Mort heureuse* (première version de *L'Étranger* ; posthume).		

L'œuvre de Camus

Camus a exprimé dans son œuvre une pensée complexe, contradictoire, en mouvement incessant, allant du constat angoissé de l'abandon et de la solitude de l'homme à l'exigence d'une solidarité et d'une participation plus grande à l'aventure collective. On reconnaît trois cycles dans son œuvre, très diverse, l'écrivain s'étant exprimé dans des genres aussi différents que l'essai philosophique, le roman, le théâtre ; à cela il faut ajouter de nombreux articles dans diverses revues, et une activité considérable dans le journalisme.

LES NOCES ET LA MISÈRE :
L'ENVERS ET L'ENDROIT, NOCES

Du propre aveu de l'auteur, la clé de l'œuvre se trouve dans *L'Envers et l'Endroit* (1937), premier ouvrage démarqué des essais de jeunesse. L'antagonisme des deux thèmes fondateurs de sa pensée s'y reconnaît déjà, dans l'association constante des images de mort-lumière, misère-soleil, pauvreté-joie, solitude-communion. La lumière, la joie , c'est la splendeur solaire de la terre natale d'Algérie, la soif de vie, le goût du bonheur de la sensualité. La misère, c'est la vie sans lendemain, l'abandon de l'homme et sa souffrance. Ainsi, au sein même des célébrations de la magnificence du monde, se profile le visage de la mort et de tous les maux qui menacent la félicité : « Il n'y a pas d'amour de vivre sans désespoir de vivre. » La faille est déjà ouverte d'où va surgir l'absurde.

L'ABSURDE : *L'ÉTRANGER,*
LE MYTHE DE SISYPHE, CALIGULA

L'absurde, c'est le divorce entre un besoin d'absolu dont la splendeur prometteuse du monde a éveillé la soif, et la condition d'homme, mortelle, faite de laideur et de misère. À l'homme éperdu de sens et

14

d'espoir, répondent le silence du monde et sa déraison. « Sous l'éclairage mortel de cette destinée, l'inutilité apparaît. Aucune morale ni aucun effort ne sont a priori justifiables devant les sanglantes mathématiques qui ordonnent notre condition. » Sous l'éclairage de la mort, le sens a déserté la vie, mais elle lui donne son prix. C'est la signification de *L'Étranger* (1942) : sur les ruines d'un monde vide de sens, son héros, prêt à affronter l'épreuve de la mort, se dresse pour crier son amour de la vie.

LA RÉVOLTE : *CALIGULA, LA PESTE, LES JUSTES,*
L'ÉTAT DE SIÈGE, L'HOMME RÉVOLTÉ

Le spectacle de l'Histoire et de ses crimes éveille la révolte. Ainsi la révolte de l'individu face à sa mort rejoint-elle la révolte de l'homme face à la condition humaine. D'abord conçue comme une réaction individuelle contre l'absurde avec *Caligula* (1945), la révolte, à partir de *La Peste* (1947), s'en prend au non-sens historique, à l'absurdité des maux de l'histoire, ceux dont les hommes sont responsables. Camus exalte alors une morale collective de solidarité humaine face au mal. C'est également l'époque d'un engagement ardent dans tous les conflits de son temps. Bien faire son métier d'homme devient une exigence fondamentale, la seule voie par laquelle l'homme peut retrouver fraternité et amour. C'est la naissance d'un nouvel humanisme : malgré un ciel vide, et le monde déraisonnable, l'homme peut vaincre l'absurde en donnant un sens à l'appel des autres hommes.

Mais *La Chute* (1956) semble revenir sur tous les acquis. La solitude d'un héros narcissique remplace la solidarité, la dignité fait place à la déchéance et l'homme bourreau et victime de sa propre lucidité traîne son désespoir avec un cynisme voluptueux. En proie à une culpabilité dévorante, il est exilé des noces, devenues paradis inaccessible. Ce roman troublant, d'un pessimisme affiché, est le dernier publié du vivant de Camus.

Une répétition : Albert Camus et Jacques Hébertot.

Sommaire de *L'Étranger*

Première partie

(*dix-huit jours : de la fin juin au début juillet*).

Le narrateur sans visage, Meursault, est un modeste employé de bureau à Alger. Le récit s'ouvre sur la mort de sa mère à l'asile. Il assiste, comme apathique et absent, au rituel de l'enterrement, sans manifester d'affliction. Passif et répondant spontanément aux sollicitations du monde, il retrouve, le lendemain, Marie Cardona, une ancienne amie, avec qui il passe la journée et la nuit.

Les jours passent (travail, soleil, mer) dans une existence médiocre, un déroulement mécanique de gestes quotidiens, une soumission aux sensations élémentaires, et, dans une conscience vide et lucide, une indifférence à l'égard de tous les possibles de la vie. La relation de complicité involontaire avec Raymond, un voisin de palier, va bouleverser cet état : invité avec Marie à passer un dimanche à la plage dans le cabanon de Masson, un ami de Raymond, Meursault va assister à une rixe sanglante entre ce dernier et des Arabes qui ont un compte à régler avec lui. Un peu plus tard, retournant seul sur la plage, ayant sur lui le revolver qu'il a confisqué à Raymond, Meursault rencontre un des Arabes — qui n'est rien pour lui ; mais l'homme sort un couteau, la lame brille au soleil, et Meursault, aveuglé par l'acier, la lumière, l'air étouffant, tire à plusieurs reprises sur l'Arabe qui s'écroule.

Deuxième partie

(*presque un an ; onze mois d'instruction ; procès en juin*).

Meursault est sommé de répondre aux questions que lui posent les hommes.

Vie immobile, silencieuse, monotone de la prison. Jeu entaché d'irréalité de la machine judiciaire en marche ; car Meursault a été déféré à la justice sans avoir véritablement conscience d'être criminel ; même lorsqu'il essaie d'être exact, personne ne le comprend. Pour tous les représentants de l'institution judiciaire, il est un objet de scandale ; étranger à leur univers, il ne coïncide pas avec les valeurs conventionnelles qui donnent un sens à leur vie ; en effet, le meurtre lui-même ne sera guère évoqué au cours du procès, mais tous les comportements, même les plus naturels, de sa vie antérieure se retourneront contre lui par l'interprétation que va en donner la société.

Condamné à mort, et « vidé d'espoir », mais redécouvrant sa liberté, il s'apprête à disparaître en s'ouvrant « à la tendre indifférence du monde », non sans avoir, à l'occasion de la visite forcée de l'aumônier, crié sa révolte et ses certitudes (refus de toute transcendance, absurdité du jugement humain et de la vie, innocence intacte et certitude d'avoir raison et d'être enfin justifié).

Les personnages

Meursault, l'étranger

Modeste employé de bureau, il est le narrateur sans visage d'un récit tout entier à la première personne : ce « je » curieusement « étranger » à lui-même et aux conventions sociales semble percevoir le monde au travers d'un écran qui ne laisse transparaître aucune signification. Deux événements jalonnent son récit : la mort de sa mère, et le meurtre de l'Arabe, relatés avec le même détachement absurde. Condamné à mort sans qu'on sache de quel crime il est vraiment coupable : parce qu'il a tué ? ou parce qu'il n'a témoigné d'aucune affliction à la mort de sa mère ? C'est seulement au moment de mourir que, dans un sursaut de révolte, sa conscience s'éveille à la vie.

C'est par rapport à lui que se définissent tous les autres personnages.

L'entourage de Meursault

(*par ordre d'apparition dans le récit*)

Première partie

Le patron de Meursault (ch. 1, 2 et 5) : Meursault est toujours en porte-à-faux vis-à-vis de lui, et interprète souvent ses propos à contresens. Il envisage de faire de Meursault son représentant à l'agence parisienne — ce qui prouve que lui aussi connaît mal son employé.

Le restaurateur Céleste (ch. 1, 3 et 5) : un homme au « gros ventre » et aux « moustaches blanches » ; Meursault a l'habitude de prendre ses repas chez lui.

Emmanuel (ch. 1 et 3) : collègue de bureau (il travaille à l'expédition) et voisin à qui Meursault emprunte la cravate noire et le brassard dont il a besoin pour l'enterrement de sa mère.

Le personnel de l'asile (ch. 1) :
— le directeur : petit vieux aux yeux clairs et aux jambes courtes ; vêtu de noir, avec un pantalon rayé ; il a la Légion d'honneur.
— le concierge : 64 ans, Parisien, en fonction depuis cinq ans ; yeux bleu clair, teint rouge.

— l'infirmière arabe : en sarrau blanc ; porte, sous les yeux, un bandeau qui dissimule un chancre.

Thomas Pérez (ch. 1) : le « fiancé » de la mère ; vieillard à l'allure empruntée ; visage blafard, oreilles rouges ; léger tremblement, et claudication.

Marie Cardona (apparaît pour la première fois au chapitre 2) : ancienne dactylo du bureau de Meursault ; brune, rieuse, bien faite et légèrement vêtue ; elle aime les bains de mer, les films de Fernandel, faire l'amour avec Meursault, qu'elle voudrait bien épouser, et rêve de vivre à Paris ; elle assistera à l'ensemble du procès, où elle témoignera maladroitement.

Salamano (chapitre 3, 4 et 5) : voisin de palier de Meursault ; veuf, il vit depuis huit ans avec un épagneul malade d'aspect repoussant, qu'il promène régulièrement deux fois par jour tout en le détestant. Mais il est inconsolable quand il le perd.

Raymond Sintès (apparaît pour la première fois au chapitre 3) : autre voisin de palier ; officiellement magasinier, en réalité proxénète ; petit, large d'épaules, nez de boxeur, correctement vêtu ; vit dans une chambre sale avec cuisine sans fenêtre ; aime converser avec Meursault ; a des amis dans le milieu, et une maîtresse mauresque, qu'il bat.

Masson (ch. 6) : ami de Raymond ; grand type « massif » qui a une femme petite et « ronde » à l'accent parisien.

Deuxième partie

Outre la plupart des personnages de la première partie, qui vont assister au procès :

Le juge d'instruction (ch. 1) : traits fins, yeux bleus enfoncés, grand, longue moustache grise, chevelure blanche abondante ; air sympathique, mais exalté par sa foi religieuse.

L'avocat de Meursault (ch. 1 et 4) : petit, rond, assez jeune, cheveux soigneusement collés ; costume sombre, col cassé, cravate à raies noires et blanches ; prononce une interminable plaidoirie.

Le procureur (ch. 3 et 4) : grand homme mince, vêtu de rouge, portant lorgnon ; a conscience du caractère sacré de sa mission.

L'aumônier (ch. 5) : mains fines et musclées ; un air très doux, qui cache une farouche détermination.

Ajoutons plusieurs figures, qui seront à peine esquissées et entrevues, comme la petite femme « automatique » (1re partie, ch. 5, p. 72) ou le groupe des Arabes (ch. 6) et la maîtresse de Raymond.

Et remarquons surtout que cette tragédie moderne se joue dans le dépouillement : très peu de personnages dans la 1re partie, toujours les mêmes, qui se retrouveront dans le lieu clos qu'est la salle d'audience (2e partie).

Résumés
et commentaires

Nota Bene : Les indications de pages font référence à l'édition Folio (Gallimard). On trouvera dans le « Lexique » (voir p. 91) la définition des termes signalés par un astérisque.

PREMIÈRE PARTIE, CHAPITRE 1
(pages 9 à 31)

RÉSUMÉ

Ce premier chapitre recouvre une durée de deux jours. Il commence le jour supposé de la mort de la mère du narrateur, Meursault. Celle-ci était, depuis trois ans, dans un asile de vieillards situé à quatre-vingts kilomètres d'Alger. Au petit matin, Meursault reçoit un télégramme lui annonçant le décès. Modeste employé de bureau, il demande un congé de quarante-huit heures à son patron, et va déjeuner chez le restaurateur Céleste, chez qui il a ses habitudes.

C'est à deux heures de l'après-midi qu'il prend l'autobus pour l'asile ; il dort pendant la quasi-totalité du trajet. À son arrivée, il a avec le directeur un entretien qui lui confirme que sa mère n'était pas malheureuse à l'asile ; mais Meursault l'écoute d'une oreille distraite ; il est aussi peu loquace avec lui qu'avec le concierge de l'asile, qu'il laisse parler. L'enterrement — religieux comme sa mère en a exprimé le vœu — est fixé au lendemain matin.

Commence alors la longue veille dans la salle blanchie à la chaux. La bière est couverte, et Meursault refuse que le concierge l'ouvre. Bavard, ce dernier lui raconte sa vie, son entrée à l'asile ; Meursault ayant décliné son offre de dîner au réfectoire, il lui apporte du café au lait. Ensemble, ils fument une cigarette. Meursault, qui s'est assoupi, est tiré de sa somnolence par l'entrée silencieuse des amis de sa mère qui s'installent pour la veillée, interminable, entrecoupée de sommeils inconfortables ; face à ces vieillards tous semblables, qui laissent échapper des bruits singuliers de leurs bouches édentées, il est agacé par les pleurs incessants d'une vieille femme.

Après une rapide toilette chez le concierge et un nouveau café au lait, le narrateur se retrouve dans la cour où il jouit de la beauté de la journée nouvelle qui commence.

De retour chez le directeur, il y accomplit les ultimes formalités administratives, refuse de voir sa mère une dernière fois avant le départ du convoi qui doit les conduire, en trois quarts d'heure de marche, jusqu'à l'église du village. Sorti de la chapelle de l'asile, le convoi s'ébranle et la marche, sous un soleil à l'éclat insoutenable, brouille les idées de Meursault. Après la traversée de la campagne dans une chaleur écrasante, les efforts de Pérez (sorte d'ami de cœur de madame Meursault) pour ne pas se laisser distancer, Meursault ne garde de l'arrivée au village et de l'enterrement lui-même que le souvenir d'images fortes et d'instantanés épars. Le retour à Alger lui apparaît alors comme une délivrance.

COMMENTAIRE

Un journal

Ce récit se présente, et cela est vrai pour toute la première partie du roman, sous la forme d'un journal des faits et gestes de la vie quotidienne du personnage principal, Meursault. En dépit du temps passé (passé composé) qui domine, on a le sentiment d'une **quasi-simultanéité de la narration et de son contenu**, et par suite, d'une abolition de la distance entre la narration et le récit, le lecteur se trouvant projeté dans le présent du héros. Comme dans un journal, le moment de la narration se déplace : alors que le deuxième paragraphe envisage au futur le voyage à Marengo, dès le troisième, le moment de la narration est devenu postérieur à ce voyage. Ces ruptures de perspective sont fréquentes dans toute la première partie où la durée séparant la narration de l'histoire n'excède jamais quelques jours.

La focalisation*

La situation narrative est celle de la **focalisation interne***, dans la mouvance de Stendhal et surtout de Flaubert et de Proust : la perception de l'univers du récit se fait par le regard ou la conscience de Meursault. Le narrateur ne rapporte que ce que voit le personnage-témoin, et ainsi personnage et narrateur se confondent.

Une première personne ambiguë

Une première lecture laisse l'impression d'un emploi déroutant de la première personne. Il est traditionnel d'y recourir pour un journal écrit sur le ton de la confidence : de toutes, elle est la plus propre à l'effusion, à l'introspection et à l'expression d'une subjectivité. Or, la critique l'a souvent noté, ce « je » a les caractères d'un « il », cela à cause d'un certain air d'objectivité et de détachement du récit. Et en effet, bien que la source du récit soit la subjectivité de Meursault, on a l'impression d'**un personnage extérieur à lui-même**, insensible, réduit au rôle de caméra enregistreuse : ce sont là les caractères du type de focalisation externe* employés par le roman behavioriste* américain (Steinbeck, Hemingway, etc), où la réalité se trouve réduite à ses apparences extérieures. Maurice Blanchot dit à ce propos : « Cet étranger est par rapport à lui-même comme si un autre le voyait et parlait de lui. Il est tout à fait en dehors. Il est d'autant plus soi qu'il semble moins penser, moins sentir, être d'autant moins intime avec soi. » Une partie du malaise qu'on éprouve à la lecture vient du paradoxe de cette première personne qui emprunte au « je » une vision depuis l'intérieur et qui tient du « il » l'objectivité détachée de cette vision.

Caractères du récit

Ce récit est chronologique (voir pp. 14 et 15, le nombre de liaisons par « à ce moment », « puis »). Il suit la succession des événements, des paroles ou des pensées qui à divers moments occupent la conscience du héros (par exemple, p. 12, les souvenirs de sa mère à la maison). C'est **une chronologie stricte** des faits qui accaparent la conscience.

Bien que Meursault semble étrangement absent de ce qu'il voit, entend et pense, la perception qu'il en a est vivante, elle épouse **les fluctuations de la conscience** :

— Elle est tantôt d'une étonnante acuité, dont témoignent des descriptions minutieuses : « C'était une salle très claire, blanchie à la chaux et recouverte d'une verrière. Elle était meublée de chaises et de chevalets en forme de X. Deux d'entre eux, au centre, supportaient une bière recouverte de son couvercle. » (p. 13) ; et le portrait de Pérez : « ... un nœud d'étoffe noire trop petit pour sa chemise à grand col blanc. Ses lèvres tremblaient au-dessous d'un nez truffé de points noirs. Ses cheveux blancs assez fins laissaient passer de curieuses oreilles ballantes et mal ourlées... » (p. 26).

— Elle peut prendre le caractère fantasmatique d'un état sommeilleux, lors de l'entrée irréelle des vieillards-spectres : « frôlement », « blancheur éclatante », « ils glissaient en silence dans cette lumière aveuglante », « j'avais peine à croire à leur réalité » (pp. 18-19).

— Plus étonnantes encore, les dernières lignes du chapitre (p. 30, à partir de « il y a eu encore l'église ») : Meursault, abruti de soleil, de chaleur et de fatigue assiste comme à un mirage aux derniers moments de l'enterrement (dès la p. 29 on trouve : « Tout cela, le soleil, l'odeur de cuir et du crottin [...] la fatigue d'une nuit d'insomnie, me troublait le regard et les idées. ») Le récit n'est plus qu'un tourbillon d'instantanés épars et d'images fortes qui percent confusément le brouillard de sa conscience. Il s'accélère, devient énumération fragmentée et incohérente : église, villageois, géraniums rouges... terre couleur de sang, chair blanche des racines.

Innocence et culpabilité

Meursault semble étranger à un certain nombre d'usages formels, devoirs ou tabous des hommes. Plusieurs fois, son comportement suscite la gêne, lorsqu'il refuse, sans savoir pourquoi, de voir le corps de sa mère (p. 14). L'épisode de la cigarette est plus significatif. Pour un jugement épris de formalisme, fumer devant le corps d'une mère est inconvenant, la cigarette supposant un plaisir incompatible avec la peine qu'on est censé éprouver (si l'on n'est pas tenu d'éprouver de la peine, il est du moins décent d'en donner le signe). Mais Meursault passe outre : « J'ai eu alors envie de fumer. Mais j'ai hésité parce que je ne savais pas si je pouvais le faire devant maman. J'ai réfléchi, cela n'avait aucune importance. » (p. 17).

En revanche, il n'est pas sourcilleux, et trouve intéressantes les paroles quelques peu déplacées du concierge. C'est la femme de celui-ci qui le fait taire : « Tais-toi, ce ne sont pas des choses à raconter à monsieur. » (p. 16). Cette désinvolture à l'égard de nos rituels est une clé du personnage : Meursault est quelqu'un qui ne triche pas, qui ne majore pas ses sentiments ; il ne feint pas une douleur qu'il ne semble pas éprouver, sa parole et ses actes sont l'exacte expression de ses sentiments. Il est, en quelque sorte **un innocent**, mais aussi **un étranger aux pratiques du théâtre social**.

Il est alors étonnant qu'un homme si pur des compromissions de la comédie humaine soit enclin si souvent à l'**autojustification** ; devant son patron, il s'excuse presque de la mort de sa mère : « Ce n'est pas de ma faute. » (p. 9). Plus loin, le sentiment de culpabilité est si fort que Meursault imagine le sous-entendu accusateur : « J'ai cru qu'il me reprochait quelque chose et j'ai commencé à lui expliquer. Mais il m'a interrompu : ''Vous n'avez pas à vous justifier, mon cher enfant.'' » (p. 11). Lors de la veillée, il a l'impression que les vieillards sont là pour le juger. Se dessine, avec la culpabilité, l'un des thèmes importants de l'œuvre : **l'impuissance, même pour le juste, à se soustraire aux regards d'autrui et à son jugement**, l'impuissance à échapper à la mauvaise conscience d'avoir envoyé à l'asile une mère qu'il n'avait pas les moyens de faire garder. La claire conscience d'une situation sans issue ne suffit pas à soustraire l'homme au sentiment de sa faute.

PREMIÈRE PARTIE, CHAPITRE 2
(pages 33 à 41)

RÉSUMÉ

À son réveil le samedi, Meursault, désœuvré, décide d'aller se baigner dans la passe du port. Il y retrouve par hasard Marie Cardona, une ancienne dactylo de son bureau. Dans l'eau, les corps s'effleurent, et au soleil, Meursault s'enhardit à poser sa tête sur le ventre de Marie. Quand ils se rhabillent, Marie a un mouvement de recul en constatant le deuil de Meursault. Le soir, ils vont voir un film drôle et bête, interprêté par Fernandel. Pendant la séance, il la caresse et l'embrasse ; ils passent ensemble la nuit chez lui.

Dimanche, Marie est partie avant son réveil, lui traîne au lit jusqu'à midi à fumer des cigarettes, déjeune sommairement. Après le repas, il trompe l'ennui en errant dans l'appartement trop grand et à moitié à l'abandon. Son après-midi se déroule au balcon, dans la contemplation du spectacle de la rue et du ciel. Le soir venu, les lampes se sont allumées dans la rue désertée. Il descend faire quelques courses, dîne debout tout en se réjouissant que ce soit « un dimanche de tiré ».

COMMENTAIRE

L'emprise du monde extérieur

Un chapitre qui couvre deux journées : samedi et dimanche, la narration ayant lieu le soir de chaque jour (c'est aujourd'hui samedi…) : le récit au jour le jour continue. Meursault ne travaille pas, il est sans projet, entièrement disponible aux sollicitations du présent. Cela est particulièrement sensible le dimanche : depuis son balcon d'où il contemple la rue, sa conscience est complètement happée par le spectacle qu'elle offre. C'est elle qui impose sa présence au cours de ses pensées : les tramways, le flux et le reflux des gens qui passent et repassent, l'entrée et la sortie des cinémas. Quand la rue se vide, le ciel retient son attention. Il est **solidaire du monde**, l'enregistre, uniquement préoccupé de ce qui est devant lui.

L'appel des sens

Disponible à tout ce qui survient, Meursault l'est donc au désir. Immédiatement après la très brève présentation qui nous est faite de Marie : « J'ai retrouvé dans l'eau Marie Cardona, une ancienne dactylo de mon bureau dont j'avais eu envie à l'époque » (p. 34), le texte est envahi de notations qui désignent des parties du corps, le désir (« envie », « effleuré ses seins », « ventre » trois fois, « cheveux »…). Marie, dès cette rencontre, s'avance **sous le signe du désir** et du rapport physique. Meursault, d'habitude passif, prend ici l'initiative : « J'ai laissé aller ma tête et l'ai posée sur son ventre. » Plus loin (p. 35) au cinéma, pendant le film, il caresse ses seins.

L'autre aspect de Marie, et qui ne se démentira pas, c'est **le rire**, ou le sourire : « Elle avait les cheveux dans les yeux et elle riait. » (p. 34) ; « Elle a encore ri... » (p. 35).

Il ne faut pas se méprendre, il ne s'agit pas là d'amour. D'emblée, nous étions prévenus : « Marie [...] dont j'avais eu envie à l'époque. Elle aussi je crois. » (p. 34). Le soir même, ils couchent ensemble.

La vie insignifiante
La matière du récit

Samedi, le hasard sert Meursault, et la rencontre de Marie occupe sa journée. Mais dimanche, il est seul et se montre incapable d'autre chose que de **tuer le temps** : réveillé trop tôt, par paresse ou par ennui, il se rendort, puis jusqu'à midi, reste dans son lit à fumer des cigarettes. L'après-midi passé au balcon retrace les variations sur **quelques maigres motifs** : commentaires météo (pp. 37 à 40), tramways vides et pleins (pp. 38 à 40), passants, cigarettes, repas. La matière du récit se réduit à cela, presque rien, motifs entrelacés qui s'imposent à la conscience dans l'ordre de leur apparition.

L'insignifiance

Parler, écrire, c'est implicitement prétendre que ce que l'on dit vaut la peine d'être dit. Habituellement, le romancier opère un tri, ne garde que ce qui contribue à ses fins. Ici, au contraire, on constate une abondance de détails insignifiants, consignés apparemment sans rime ni raison. Tout est bon à cet enregistrement impartial ; les rares déductions que tire Meursault de sa contemplation sont des rapprochements élémentaires : « J'ai pensé qu'ils allaient au cinéma du centre. *C'était pourquoi* ils partaient si tôt et se dépêchaient en riant très fort. » (p. 38) ; « L'après-midi était beau. *Cependant*, le pavé était gras, les gens rares et pressés encore. » (p. 37). Par le seul fait d'être énoncés, ces faits prennent une importance qu'ils ne méritent pas. Cela concourt d'une part à l'expression du vide, de l'apathie du héros — il n'y a rien de mieux à dire —, d'autre part à l'impression d'étrangeté se dégageant d'un récit qui dit ce qu'on a coutume d'ignorer.

L'incohérence

Cette impression est renforcée par l'absence totale d'organisation de ces motifs. Le principe de leur engendrement, c'est la **succession des présents de la conscience.** Cette conscience étant passive, pure spectatrice, elle ne cherche pas à organiser ce qui la traverse. Jalonné de ruptures, le texte passe ainsi sans cesse du coq à l'âne : « ''Je suis plus brune que vous.'' Je lui ai demandé si elle voulait aller au cinéma. » (p. 35) ; après l'évocation poétique du jeu des lumières dans la nuit, sans crier gare, le texte enchaîne avec : « J'ai pensé alors qu'il fallait dîner. » (p. 41). On ne trouve pas même l'adoucissement qu'aurait apporté un « puis » ou un « alors ».

Le nivellement et l'indifférenciation, une technique de l'absurde

Ces ruptures, l'incohérence qui en résulte, l'absence de tri (trois fois on apprend qu'il se lave les mains) concourent à un nivellement de l'intérêt : **tout se trouve placé sur le même plan** ; les hiérarchies traditionnelles, l'habitude qu'on a de construire le donné pour le penser rationnellement, sont bouleversées. La syntaxe est en particulier responsable de cette neutralisation : l'identité formelle des membres syntaxiques juxtaposés ou coordonnés postule celle de leurs contenus : « J'ai pensé que c'était toujours un dimanche de tiré, que maman était maintenant enterrée, que j'allais reprendre mon travail et que, somme toute, il n'y avait rien de changé. » (p. 41). L'intrus (« que maman était maintenant enterrée ») se trouve ainsi placé dans un rapport d'égalité avec les autres contenus. On a vraiment l'impression d'un monde indifférencié où rien n'a d'importance, d'un monde absurde.

Meursault narrateur

Qu'est-ce qui est étrange ? Est-ce le héros ? Effectivement, son comportement à l'enterrement l'était quelque peu. Mais dans ce chapitre, il ne se signale par aucune bizarrerie, sinon sa banalité, sa sérénité dans la mollesse. Pourtant, notre impression persiste. C'est que l'étrangeté ne vient plus ici de l'histoire racontée ou d'une dimension étonnante de la personnalité de Meursault. Elle vient plutôt de la façon dont l'histoire est racontée. Dans son rôle d'autobiographe, Meursault contrevient aux conventions de l'autobiographie. Il est **un autobiographe passif**, qui n'élimine rien, ne met rien en valeur. Il est **étranger aux conventions de la représentation romanesque de la personne** ou, si l'on veut, de l'élaboration de la personne en personnage. Meursault personnage a refusé de souscrire aux rites funèbres de l'enterrement.

Meursault narrateur refuse les mythes collectifs de représentation de la vie et de sa mutilation en fiction. Il refuse de monter sur les tréteaux de la comédie.

PREMIÈRE PARTIE, CHAPITRE 3
(*pages 43 à 56*)

RÉSUMÉ

Meursault passe au bureau une banale journée de travail que ponctuent un repas chez Céleste avec son collègue Emmanuel, et de menus plaisirs comme se laver les mains ou, à la sortie, rentrer à pied le long des quais. Dans l'escalier de son immeuble, il fait la rencontre du vieux Salamano, son voisin de palier. Il est accompagné de son chien, un épagneul couvert de croûtes comme son maître, qui, depuis huit ans que Meursault les voit ensemble quotidiennement, l'abreuve d'injures et le bat. À peine l'a-t-il quitté que son autre voisin, Raymond Sintès, l'invite à dîner. Soupçonné d'être un souteneur, il est peu apprécié du voisinage. Dans sa chambre, sale, Raymond soigne sa main, blessée au cours d'une rixe dont il fait le récit. Au cours du dîner, il raconte à Meursault son histoire avec une femme (avec le frère de laquelle il s'est battu), qu'il veut punir, parce qu'il la soupçonne de lui avoir « manqué ». Il demande à Meursault de rédiger la lettre qu'il lui faut pour mettre à exécution son projet de vengeance. Meursault l'écrit ; Raymond, satisfait, lui déclare que, désormais, il est son « copain ».

COMMENTAIRE

Une humanité pitoyable

Dans ce chapitre, Meursault rencontre deux de ses voisins, Salamano et Raymond Sintès. Le regard désabusé que Camus porte sur ses semblables, et qui culminera dans *La Chute*, se montre déjà dans ces deux portraits.

Salamano et son chien incarnent le **couple infernal** précurseur de Pozzo et Lucky (Beckett, *En attendant Godot*). Ce duo sordide que réunissent haine et cruauté en arrive, après huit ans de vie commune, à **échanger ses déterminations** : croûtes et plaques brunes du chien qui couvrent le visage du maître ; bestialisation de l'homme, qui, comme son chien, a le poil jaune et rare ; humanisation de la bête, qui emprunte l'allure voûtée du maître et son cou tendu en avant. Dans cette dérive de deux êtres où se perd la conscience des limites et de la raison, le chien se voit même attribuer le qualificatif moral de « salaud ». Le processus d'identification culmine dans cette phrase : « Ils ont l'air de la même race » (p. 46). Le portrait physique de la vieillesse et de la maladie est sordide, mais plus encore le récit de cette geste quotidienne de la sortie du maître et du chien, réitérée deux fois par jour depuis huit ans : « Deux fois par jour [...] le chien tirant l'homme jusqu'à ce que le vieux Salamano bute. Il bat son chien alors et il l'insulte [...] Quand le chien a oublié, il entraîne de nouveau son maître et il est de nouveau battu et insulté. » (p. 46).

Un couple absurde

Cette répétitivité — Camus en souligne la monotonie : « deux fois par jour », « depuis huit ans », « C'est ainsi tous les jours », « il y a huit ans que ça dure », présents d'habitude (« il bat son chien », « le chien rampe ») — est la même qui, dans *Le Mythe de Sisyphe*, conduit à la prise de conscience de l'absurde par l'homme se surprenant un instant à contempler le spectacle de sa vie : « Il arrive que les décors s'écroulent. Lever, tramway, quatre heures de bureau ou d'usine, repas, lundi, mardi, mercredi, jeudi, vendredi, samedi sur le même rythme… Un jour seulement, le ''pourquoi'' s'élève dans cette lassitude teintée d'étonnement. » Le couple devient alors **le symbole dégradé d'une existence absurde** de violence et de haine immotivées ; à la question de Meursault : « … je lui ai demandé ce que le chien lui avait fait. » (p. 47), il n'y a pas de réponse. La seule raison, qui vient un peu plus tard : « Il est toujours là. » (p. 47). Absurdité de la souffrance, et de la haine, dans une existence elle-même dépourvue de sens, dérisoire et répétitive.

La violence

La violence donne encore le ton du récit de Sintès. Là aussi, un jeu de correspondances lie au physique le comportement : Raymond a un « nez de boxeur ». Et, de fait, suit le récit d'une bagarre : un coup de genou, deux « taquets » et un visage en sang pour prouver qu'on est un homme, c'est le code d'honneur d'un certain milieu. Puis, pour la troisième fois dans ce chapitre, revient la violence, avec l'évocation de cette « dame » rencontrée par Raymond. Il l'a battue jusqu'au sang, cela n'est pas suffisant, et s'il demande le secours de Meursault, c'est pour l'humilier.

Les ressemblances sont nombreuses entre ces deux scènes que choisit Camus pour nous montrer une facette de cette condition humaine. Dans les deux cas, violence, haine et bassesse, noblesse et sérénité absentes du cœur de l'homme. Le plus fort impose sa loi, l'autre « gémit » ou « crie ». Mais la ressemblance la plus frappante est celle, dans les deux situations, de l'attitude de Meursault devant cette humanité.

L'indifférence

Aucune émotion arrachée à Meursault. Il raconte l'existence de Salamano et de son chien comme il a relaté les menus événements de sa journée de travail : stricte objectivité descriptive. Il en va de même face à Sintès, et Meursault peut dire sans l'ombre d'un tressaillement : « Il l'avait battue jusqu'au sang. » (p. 51). Tout semble égal à ses yeux, sans importance ; c'est un trait fondamental de cet étranger : « Il m'a demandé si ça ne me dégoûtait pas et j'ai répondu que non. » (p. 48). Au nombre des procédés qui visent à accentuer à nos yeux l'indifférence de Meursault, il faut remarquer, dans toute la partie qui concerne Raymond, l'emploi qui est fait des catégories du discours. L'essentiel de ce morceau est constitué de la relation d'une conversation. Il est plus juste de dire d'un monologue, car Raymond est presque seul à parler. On y trouve les trois modes d'enchâssement d'une parole dans le fil d'une narration, mais dominent le style direct et le style indirect. Ce qui est remarquable, c'est que les passages les plus révoltants : « Il l'avait battue jusqu'au sang. » (p. 51) ; p. 52, depuis : « il avait encore un sentiment pour son coït » jusqu'à « ce que je pensais de cette histoire » ; p. 53, depuis « Il voulait lui écrire » jusqu'à « il la mettrait dehors », sont tous au **style indirect libre**. Or, le propre de ce mode, à la différence du style direct qui retranscrit littéralement les paroles, et du style indirect qui n'en conserve que le contenu en effaçant la présence physique du locuteur, est de permettre l'intrusion du narrateur dans les paroles qu'il rapporte. C'est le mode de la superposition, qui permet de faire entendre une voix (celle du narrateur, Meursault) à travers une autre voix (celle du locuteur Sintès). Pourtant, on est étonné par le **silence de la voix de Meursault** : il ne s'implique pas, reste neutre, objectif et insensible, alors que justement ce qu'il raconte est le plus atroce.

Un homme qui ne juge pas

À cette indifférence aux êtres, à l'amitié (« … il m'a demandé encore si je voulais être son copain. J'ai dit que ça m'était égal… », p. 49), et à leur souffrance, il faut associer le refus d'exprimer aucun jugement. Le texte est construit de façon à confronter dans les deux scènes le jugement des autres à l'attitude de Meursault. Aussi bien Salamano que Sintès sont présentés sous le jour de la rumeur publique : prolifération du « on » dans le texte sur Salamano, jugement similaire porté à deux reprises par Céleste et Raymond : « Si c'est pas malheureux » (pp. 47 et 48) ; au contraire, Meursault s'abstient de tout jugement : « … mais au fond, personne ne peut savoir. » (p. 46).

Même procédé avec Raymond, que des activités suspectes font vivre dans l'opprobre (« … il n'est guère aimé. », p. 47) : les « on » qui renvoient à la rumeur publique s'opposent à l'attitude de Meursault : « … je n'ai aucune raison de ne pas lui parler. » (p. 47). Ce refus de juger se vérifie en toute occasion, par exemple p. 53 : « … il voulait savoir ce que je pensais de cette histoire. J'ai répondu que je n'en pensais rien ».

Indifférence et complicité

De l'indifférence et de l'absence de toute appréciation morale à la complicité, il n'y a qu'un pas. En effet, si tout est équivalent, il n'y a plus de valeurs, plus aucune raison de faire ou de ne pas faire ; Meursault le dit lui-même à deux reprises, pour justifier ses relations avec Sintès (p. 47), et lorsqu'il explique pourquoi il écrit cette lettre qui sert les desseins les moins purs : « … je me suis appliqué à contenter Raymond parce que je n'avais pas de raison de ne pas le contenter. » (p. 54). Il se fait alors, cela est clair, complice d'un proxénète qui veut punir une « protégée » récalcitrante. Mais il faut bien voir que ceci est notre jugement, qui sera aussi celui de ses juges lors du procès ; dans la façon de voir de Meursault, qui semble ignorer les catégories morales du bien et du mal, le mot *complicité*, appartenant au lexique de la réprobation morale, n'a pas cours, pas plus que celui de *maque-reau*, l'un de ces masques façonnés par le théâtre social qui impose une hiérarchie des valeurs selon laquelle un commerçant vaut mieux qu'un proxénète. Mais pour Meursault qui lève le masque des apparences, Raymond n'est pas un proxénète (il dirait que cela ne signifie rien ou que cela est sans importance), c'est son voisin de palier, un type sympathique avec qui il passe de bons moments et qu'il ne juge pas.

PREMIÈRE PARTIE, CHAPITRE 4
(*pages 57 à 66*)

RÉSUMÉ

(Une semaine de travail, samedi, dimanche)
À la fin d'une semaine où il a bien travaillé, Meursault retrouve Marie. Il la désire aussitôt, mais ils prennent le bus pour aller sur une plage, à quelques kilomètres d'Alger. Jeux d'amour et d'eau, retour brusque chez lui pour faire l'amour. Peu de paroles échangées. Le dimanche matin, Marie, heureuse et confiante, est restée. Elle lui demande s'il l'aime ; il répond que cela ne veut rien dire, mais qu'il lui semble que non. La bonne humeur revenue, on entend chez Raymond une voix de femme, le bruit d'une dispute, puis des hurlements (la punition envisagée au chapitre 3). Ils sortent sur le palier. L'arrivée d'un agent fait cesser les brutalités. Attitude provocatrice de Raymond devant l'agent, qui lui vaut une gifle. La fille l'accuse d'être un maquereau et Raymond est convoqué au commissariat. Vers 13 heures, Marie s'en va. Tandis que Meursault somnole, Raymond vient le trouver, il est satisfait de sa vengeance et demande à Meursault de témoigner que la fille lui a « manqué ». Tous deux vont faire un tour, Meursault pense que c'est un bon moment. Mais à leur retour, ils rencontrent Salamano, complètement désemparé parce qu'il a perdu son chien. Ils tentent de le rassurer, il le retrouvera sans doute à la fourrière. Alors que

Meursault s'endort, les pleurs du vieux Salamano de l'autre côté de la cloison éveillent, sans qu'il sache pourquoi, le souvenir de sa mère.

Marie : désir, vêtement et rire

Le portrait de Marie se précise, mais surtout le regard que Meursault porte sur elle. Nous sommes contraints, comme pour toute l'histoire d'ailleurs, à voir Marie par les yeux de Meursault, qui réduit son existence à quelques traits significatifs de ce qu'elle est pour lui. On a déjà signalé le rire de Marie ; ici s'instaure une **relation presque mécanique entre ce rire et le désir de son amant** : « Quand elle a ri, j'ai eu encore envie d'elle. » (p. 59) ; … « elle a encore ri de telle façon que je l'ai embrassée. » (*ibid.*). L'attention à l'habit caractérise le regard de Meursault ; toujours, dès qu'il la voit, il détaille les vêtements de Marie. **Vêtement et désir** semblent également liés : « J'ai eu très envie d'elle parce qu'elle avait une belle robe à raies rouges et blanches et des sandales de cuir. » (p. 57), et : « Elle avait un de mes pyjamas dont elle avait retroussé les manches. Quand elle a ri, j'ai eu encore envie d'elle. » (p. 59).

Marie et l'eau

Le désir, éveillé dès les premiers instants, est temporisé par le bain, et exactement de la même façon qu'au chapitre 2, lors de leur première rencontre, leurs jeux d'eau se muent en jeux d'amour.

Il semble que la femme et le désir soient associés à l'eau (c'est dans l'eau qu'il fait la rencontre de Marie, p. 34), à ces moments d'union sereine des corps et de l'élément : « Sa langue rafraîchissait mes lèvres et nous nous sommes roulés dans les vagues pendant un moment. » (p. 58). Meursault goûte dans cette relation presque exclusivement physique avec Marie le même abandon, la même **plénitude** ; le style, aussitôt plus ample et imagé, se distingue de la phrase habituellement sèche et comme essoufflée, pendant ces moments de **communion physique avec le monde** : « J'avais laissé ma fenêtre ouverte et c'était bon de sentir la nuit d'été couler sur nos corps bruns. » (p. 58). On remarque ici comment l'imparfait, rompant la verbalité figée du passé composé, contribue au sentiment d'abandon dans une temporalité dont la continuité est recouvrée.

Désir et amour

La nature de l'attirance éprouvée par Meursault pour Marie n'est pas douteuse : elle est exclusivement charnelle. À cet égard le portrait en creux qu'il fait d'elle est éloquent (elle n'est que rire, désir et vêtement, sans aucune caractérisation morale ni psychologique). Que la même attirance pousse Marie vers Meursault, c'est aussi certain. Mais elle veut plus, elle veut être aimée, et se dessinent alors **deux conceptions des « rapports amoureux »**. L'une **sentimentale** et abstraite, celle de Marie, l'autre **instinctive**, concrète et instantanée, celle de Meursault. Sartre, dans son « Explication de *L'Étranger* » (*Situation I*, p. 108), les définit ainsi : « Ce qu'on nomme un sentiment (amour) n'est que l'unité abstraite et la signification d'impressions discontinues... Je [Sartre] serais capable de compromettre ma tranquillité au nom d'un sentiment abstrait, en l'absence de toute émotion réelle et instantanée. Meursault pense et agit différemment [...] seul le présent compte, le concret. » Pour Meursault, qui ne connaît que la tendresse fugitive du désir, le mot *amour* est dénué de sens : « [...] elle m'a demandé si je l'aimais. Je lui ai répondu que cela ne voulait rien dire... » (p. 59). Dans *Le Mythe de Sisyphe* (p. 102) Camus parle de l'amour en ces termes : « Nous n'appelons amour ce qui nous lie à certains êtres que par référence à une façon de voir collective et dont les livres et les légendes sont responsables. » Autrement dit, **l'amour est une abstraction littéraire**, une représentation sociale d'un événement concret ; il n'a pas cours dans la vie, c'est une fiction, et il y a malentendu lorsqu'on emploie ce mot pour désigner les rapports réels et uniques entre les êtres.

Brutalité

On assiste dans ce chapitre à la réalisation du projet de vengeance ourdi par Raymond Sintès. La scène tourne mal : brutalité de Raymond, et hurlements de la femme. En fait, rien de nouveau sinon le spectacle en direct des scènes de violence évoquées au chapitre 2. Mais viennent s'y ajouter les **violences du policier** : paradoxe, banal pourtant, d'un agent qui fait cesser la violence avec des gifles, violence verbale également, mise en valeur par la reprise littérale de l'expression entre guillemets : « Mais l'agent lui a ordonné de ''fermer sa gueule'' » (p. 61). L'agent susceptible frappe pour apprendre à Raymond « qu'un agent n'est pas un guignol ». Quelle différence avec Raymond qui, au chapitre 2, frappait pour prouver qu'il était un homme ? Il n'y en a pas :

violence du plus fort et soumission du plus faible, comme entre Raymond et la femme. Il y en a une néanmoins : l'agent est là pour faire respecter l'ordre et la paix. On pense à l'après-guerre, lorsque la voix indignée de Camus s'est élevée contre les jugements sommaires et les massacres de collaborateurs ; la plus sûre victoire des nazis était d'avoir fait leurs victimes à leur image : des bourreaux.

Amitié ?

Meursault, à qui cela est indifférent, est devenu le copain de Raymond. Quelques signes témoignent de l'estime que Raymond lui porte : il jette un regard à Meursault avant de tirer sur sa cigarette, fanfaronnade punie d'une gifle (p. 60). Il s'agit là encore sans doute de prouver qu'on est un homme, preuve à l'intention de Meursault. Plus tard, Raymond demande à Meursault s'il « avait attendu qu'il réponde à la gifle » (p. 62). La réponse de ce dernier rassure son honneur menacé. **Meursault, plus que jamais étranger au jugement et à la valeur morale des actes** (« Moi cela m'était égal » de faire un faux-témoignage, pas un reproche concernant la violence de son ami), se rend pour la deuxième fois complice des manœuvres de Sintès. Une sortie agréable avec cette brute lui fait dire : « J'ai le trouvais très gentil avec moi et j'ai pensé que c'était un bon moment. » (p. 63). (C'est ici encore le présent seul qui compte.) Mais cette fois-ci, pour contenter Raymond, il se rend coupable d'un faux-témoignage.

Salamano et son chien

Le vieux Salamano a perdu son chien. Faisant suite à la description du couple infernal, à la cruauté de Salamano (chap 3), son désarroi, sa peine surprennent, d'autant plus qu'il reprochait auparavant à la bête « d'exister ». On découvre alors une dimension ignorée, pathétique, inattendue surtout, des relations entre ces deux épaves : **haine apparente qui dissimule un attachement profond**, tel que la perte du chien le plonge dans l'angoisse d'une vie privée de sens : « Ils ne vont pas me le prendre, dites, monsieur Meursault. Ils vont me le rendre. Ou qu'est-ce que je vais devenir ? » (p. 65). C'est ici le spectacle émouvant d'un vieillard qui n'a plus que son chien. Mais celui surtout de l'**ambivalence des rapports humains**, amour et haine imbriqués, un vieillard désemparé par la perte du chien qu'il bat tous les jours, et qui vient chercher le réconfort d'un espoir, tout en continuant à l'insul-

ter : « Donner de l'argent pour cette charogne. Ah ! Il peut bien cre-
ver. » (p. 65). L'humain est misérable, absurde et incompréhensible
dans ses contradictions, et, comme le dit Meursault au chapitre 3, se
refusant à porter un jugement sur le vieux : « ... Mais au fond, personne ne peut savoir. »

PREMIÈRE PARTIE, CHAPITRE 5
(*pages 67 à 76*)

RÉSUMÉ

(Un jour de semaine)
Meursault est au bureau, où Raymond l'appelle pour l'invi-
ter à passer le dimanche suivant dans un cabanon que pos-
sède un de ses amis près d'Alger. Son patron le fait venir :
il envisage d'envoyer Meursault à Paris où il veut créer une
agence. Indifférence de Meursault, qui n'est pas intéressé
par un changement de vie. Son patron lui reproche alors de
manquer d'ambition. Le soir, Marie qui est venue le chercher, lui demande s'il veut l'épouser. Cela lui est égal, il le
fera si elle le veut, mais l'amour ne veut rien dire et le mariage
est une chose sans importance. Chez Céleste où il dîne,
Meursault observe le comportement d'automate de la petite
femme aux gestes saccadés qui s'est assise à sa table. De
retour chez lui, il retrouve le vieux Salamano, dont le chien
est définitivement perdu. Le vieil homme évoque sa vie, les
ambitions de sa jeunesse, sa femme, à la mort de qui il avait
eu le chien, puis le souvenir de la mère de Meursault, à qui
il apprend qu'on l'a mal jugé, dans le quartier, quand il l'a
mise à l'asile. Pour la première fois, ils se quittent en se ser-
rant la main.

COMMENTAIRE

Meursault, un homme sans patrie
Convoqué par son patron, Meursault refuse un avenir prometteur :
« J'ai répondu qu'on ne changeait jamais de vie... » (p. 68). Marie aime
Meursault et veut l'épouser. Il consent mais répond que le mariage n'est
pas une chose sérieuse. Passées au crible de son étrange indifférence,

toutes les convictions se dissolvent et ces deux confrontations (avec Marie, avec son patron) consacrent la débâcle des valeurs et des espoirs qui donnent un sens à la vie des hommes : ambition d'une situation plus élevée, de responsabilités, espoir d'une vie différente et meilleure, mariage, etc. À ces échappatoires qui rendent la vie supportable, mais empêchent une prise de conscience lucide (celle de l'abandon de l'homme, celle de l'absence de tout espoir et de tout lendemain puisque l'on meurt), Meursault oppose une négation brutale : elle le caractérise face aux abstractions et aux croyances : épouser Marie « n'avait aucune importance », l'amour n'a pas de sens, on ne change pas de vie, d'avenir, etc.

Meursault ne vit pas d'espoirs fallacieux. Il a renoncé aux mythes de la société formelle. Il est celui qui vit dans la lumière de la vérité, d'un désert sans catéchisme, sans espoir. Il est l'**homme du présent** pour qui n'existe que le moment qui est là, seule réalité tangible, et, « en y réfléchissant bien », il trouve qu'il n'est pas malheureux. Ce dépouillement de Meursault est l'écho, la mise en œuvre romanesque d'un passage de *Noces* (« Le vent de Djémila ») : « Peu de gens comprennent qu'il y a un refus qui n'a rien de commun avec le renoncement. Que signifient ici les mots d'avenir, de mieux-être, de situation ? Que signifie le progrès du cœur ? Si je refuse obstinément tous les ''plus tard'' du monde, c'est qu'il s'agit aussi bien de ne pas renoncer à ma richesse présente. » Sartre dit en effet que : « L'homme absurde ne connaît que les biens de ce monde. »

L'étranger

On voit donc que les deux passages sont le miroir d'une même philosophie. Ils se répondent pour aboutir à un même constat : Meursault est un *étranger*. Leurs structures sont identiques, en deux temps : affrontement de deux conceptions, l'une étayée de valeurs, l'autre dominée par cette idée que tout se vaut, que rien n'a d'importance. Pour répondre à son patron comme à Marie, une même phrase : « J'ai dit que ça m'était égal. » (pp. 68 et 69). À cette indifférence répond un même sentiment, Meursault est décalé : son patron s'agace qu'il réponde toujours à côté (p. 69), et Marie murmure qu'il est « bizarre » (p. 70). Quoi d'étonnant ? *Le Mythe de Sisyphe*, que certains considèrent comme la théorie du roman, nous dit en effet : « Dans un univers soudain privé d'illusions et de lumières, l'homme se sent un étranger. Cet exil est sans recours puisqu'il est privé des souvenirs d'une patrie perdue ou de l'espoir d'une terre promise. Ce divorce entre l'homme et sa vie, l'acteur et son décor, c'est proprement le sentiment de l'absurde. »

Une maniaque

C'est dans la description de cette bizarre petite femme que s'exerce avec le plus d'efficacité le style adopté dans *L'Étranger*. Il s'agit de décrire un personnage qui, privé d'humanité, se métamorphose en automate aux « gestes saccadés ». La syntaxe procède par juxtaposition ou coordination de propositions indépendantes. Le modèle de phrase est toujours identique (toutes les attaques de phrases par « elle a... ») et accentue l'impression de mécanicité. Ce style qui morcelle opère une **décomposition analytique** des gestes de la petite femme : « Elle s'est débarrassée de sa jaquette, s'est assise et a consulté fiévreusement la carte. » (p. 71). À chaque proposition correspond une prise de vue. La description est d'une précision exagérée, les détails superflus et la surcharge des caractérisants (adjectifs, adverbes) donnent le sentiment de la **ritualisation** des gestes dans un ordre qu'on imagine toujours identique (« un crayon bleu », « un petit carré de papier », etc), comme dans un engrenage. Le lexique lui-même évoque la précision (« voix précise », « somme exacte », « beaucoup de soin », « méticuleusement »). On remarque également la forte présence de notations temporelles qui mettent en évidence une exploitation rationnelle du temps, comme minuté (« en attendant », « fait d'avance », « puis »). La petite femme l'organise, coche les émissions d'un programme, fait l'addition d'avance, c'est une fuite en avant qui saccage le moment présent : elle « engloutit » son repas. La machine semble emballée : elle consulte « fiévreusement », sa voix est « précipitée », elle engloutit « à toute vitesse ». Elle tourne à vide : tout le soin pris à cocher les cases se révèle inutile puisque la femme retient pratiquement toutes les émissions. Prise sous le verre grossissant de cette activité pathologique, la vie machinale et absurde saute aux yeux.

Salamano et la solitude

Le récit que Salamano fait de sa vie est une nouvelle illustration des « divertissements » dans lesquels l'homme cherche une consolation à son abandon. Une femme ou un chien : l'équivalence est suggérée à plusieurs reprises (tout au moins le remplacement possible de l'un par l'autre) : « Il m'a dit qu'il l'avait eu à la mort de sa femme. » (p. 73). De même qu'il s'était habitué à son chien (p. 73), il « s'était bien habitué à elle » (p. 74). À la mort de sa femme, il se sent seul et prend un chien. Il en parle d'ailleurs comme d'un être humain lorsqu'il évoque « son mauvais caractère » et leurs prises de bec. Une femme, un chien, ainsi Salamano échappe-t-il à la solitude. Et si, pas plus avec l'une qu'avec l'autre, il n'a su trouver le bonheur, l'habitude remédie à l'infortune. Salamano est soudain privé de ce chien qui, bon gré, mal gré, donnait à sa vie un sens, dérisoire, mais néanmoins un sens. Exilé du refuge, privé du divertissement qui tient à l'écart la conscience (et ici Meursault qui ne sacrifie à aucun faux-fuyant fait constraste), Salamano fait la découverte de « cet univers soudain privé d'illusions et de lumières » : « Sa vie avait changé maintenant et il ne savait pas trop ce qu'il allait faire. » (p. 76).

PREMIÈRE PARTIE, CHAPITRE 6
(*pages 77 à 95*)

(Dimanche — le meurtre)

Marie vient réveiller Meursault. Raymond les rejoint dans la rue. Ils s'entretiennent un instant de la déposition de Meursault au commissariat : il a témoigné que la fille avait « manqué » à Raymond. Marie est tout heureuse d'aller passer la journée au bord de la mer avec Meursault. Au moment où, avec Raymond, ils s'apprêtent à prendre l'autobus, ils aperçoivent un groupe d'Arabes (dont « le type » de Raymond), qui les regarde en silence, avec indifférence. C'est en plaisantant qu'ils arrivent au cabanon où Masson, l'ami de Raymond, et sa femme les attendent.

Bain avec Marie et Masson, moment d'abandon et de désir de Marie dans la connivence de la mer et du soleil. Déjeuner sans paroles, mais bien arrosé. Meursault, à son habitude, fume beaucoup. Tandis que les deux femmes font la vaisselle, les trois hommes vont sur la plage déserte dans la chaleur insoutenable. Au loin, les Arabes de tout à l'heure ; les deux groupes se rapprochent et Raymond frappe « son » type, Masson frappe l'autre, mais le premier sort un couteau. Raymond est blessé. Les adversaires se séparent, et Raymond part se faire soigner chez un médecin, tandis que Meursault reste avec les femmes.

À son retour, Raymond, malgré l'inquiétude de Meursault qui décide de le suivre, regagne la plage, en direction d'une source occupée par les deux Arabes ; soleil et silence à peine troublé par le bruit de la source et des notes que l'un d'eux tire d'un roseau. Raymond, excité, cherche à provoquer « son » Arabe, mais Meursault l'oblige à lui remettre son revolver pour éviter le pire. Au moment où tout peut basculer, les Arabes se dérobent. Les deux amis retournent au cabanon, mais Meursault, parce qu'il n'a pas envie d'entrer, repart sur la plage. Le soleil est écrasant et Meursault se dirige vers le refuge ombragé de la source ; le type de Raymond, à qui il ne pensait plus, s'y trouve seul. Dans un état de semi-conscience, dû au soleil écrasant, Meursault s'approche de la source, fait un mouvement en avant qu'il qualifie lui-même de stupide, pour éviter le soleil. L'Arabe tire son couteau, la lumière gicle sur l'acier, la sueur aveugle Meursault, sa main se crispe sur le revolver, le coup part. Il comprend alors qu'il a détruit l'équilibre du jour, le silence de la plage. Alors, il tire encore quatre fois et « c'était comme quatre coups brefs que je frappais sur la porte du malheur. »

La composition du texte, ou les trois assauts du destin

Ce chapitre clôt la première partie de *L'Étranger*. Ses dernières pages sont les plus connues du livre. Camus a apporté un soin tout particulier à la composition de ce récit qui mène à la scène capitale du meurtre : des mouvements d'une tension croissante alternent avec des épisodes de détente.

Le glas résonne une première fois avec la présence et le comportement inquiétant des Arabes en station devant l'immeuble. Succède l'insouciance d'une scène bucolique sur le plateau qui mène à la plage, puis le bain et le repas. Le drame se déroule alors en trois temps.

Premier temps : la diminution de la distance entre les protagonistes, l'imminence de la rencontre, suffisent à un accroissement de la tension dramatique. Elle retombe aussitôt, tout se passant très vite. Raymond est blessé et on peut croire que l'épisode des Arabes est clos.

Mais la rage encore bouillante de Raymond à son retour l'entraîne à nouveau sur la plage, suivi de Meursault. L'exaspérante indifférence des Arabes, la répétition obsédante des trois notes, les corps figés tandis que les regards s'affrontent, poussent à son paroxysme la crainte d'une issue sanglante. L'impression de fixité, d'enfermement est ici frappante ; ce sont eux, parce qu'ils ne lui laissent aucune issue, qui rendent la tension intolérable : « Pourtant nous sommes restés encore *immobiles* comme si tout s'était *refermé* autour de nous. Nous nous regardions sans baisser les yeux et tout *s'arrêtait* ici entre la mer, le sable et le soleil, le *double silence* de la flûte et de l'eau. » (pp. 90 et 91). Au moment même où tout peut arriver : « J'ai pensé à ce moment qu'on pouvait tirer ou ne pas tirer » (p. 91), les Arabes s'évanouissent comme par enchantement.

Troisième temps : L'adversaire n'est plus le même, s'y est substitué le soleil ; ce dernier épisode retrace la lutte de Meursault contre ce soleil.

La double polarité : nature bienveillante /nature néfaste

On assiste dans ce chapitre, avec l'ascension du soleil, au passage d'un état bienveillant de la nature à un état hostile et meurtrier. Tout le début se déroule dans l'harmonie des corps et des éléments : traversée du plateau où Marie joue à éparpiller les pétales d'asphodèles, sérénité de la mer d'où émerge un « cap somnolent » (p. 80). Cette mer, où ils goûtent à nouveau à l'abandon et au bonheur du bain, devient sous l'action du soleil d'un éclat « insoutenable » (p. 85), puis « un océan de métal bouillant » (p. 93).

Le sable, lui aussi, subit cette inversion de la polarité bénéfique/maléfique. Meursault a tout d'abord la sensation agréable de ce sable qui « commençait à chauffer sous les pieds » (p. 82). Un peu plus loin, il s'y allonge, y plonge sa figure, et s'y endort, flanc à flanc avec Marie (p. 83). Mais, dès la page 86, le sable participe à l'hallucination qui s'empare de lui : « Le sable surchauffé me semblait rouge maintenant. » Son agressivité culmine quand le soleil s'arme « d'épées de lumière » qui s'opposent à l'avance de Meursault : « à chaque épée de lumière

Eau-forte de Mayo pour *L'Étranger*, éd. N.R.F., 1946.

jaillie du sable [...] mes mâchoires se crispaient. » (p. 92) : la plage des rires de Marie se transforme alors en lieu d'affrontement tragique.

La première apparition du soleil est agressive ; c'est l'annonce discrète de sa violence latente : « [...] le jour déjà tout plein de soleil, m'a frappé comme une gifle. » (p. 77). Il est pourtant régénérateur lorsque Meursault se dit « occupé à éprouver que le soleil [lui] faisait du bien » (p. 82), et se joint à l'eau dans un sentiment de plénitude heureuse : « Sur [son] visage tourné vers le ciel, le soleil écart[e] les derniers voiles d'eau qui [lui] coul[ent] dans la bouche. » (p. 82). Mais, page 85, le soleil s'est mué en une force qui annihile la pensée : « Je ne pensais à rien parce que j'étais à moitié endormi par ce soleil sur ma tête nue », et c'est dans un état proche de l'hallucination que Meursault tire. Ce soleil au zénith est écrasant (comme en témoignent les nombreuses métaphores du poids) et fige les êtres ; il est douloureux, brûle les joues, les yeux, toutes les sensations deviennent intolérables. C'est un **soleil d'apocalypse**, une force dispensatrice de mort : « Il m'a semblé que tout le ciel s'ouvrait pour laisser pleuvoir du feu. » (p. 95).

Le tragique au cœur de l'insignifiant

Le meurtre de l'Arabe prend place lors d'un dimanche banal, passé avec des amis au bord de l'eau. Rien qui laisse présager l'issue tragique, qui la justifie : le malheur inexplicable survient au milieu du bonheur. Le même jour on déjeune joyeusement avec quelques amis et on tue un homme. Le geste de Meursault devient alors une fatalité, dépourvue de causes assignables, une fatalité que lui préparent le monde et le soleil. Le tragique au cœur de l'insignifiant, c'est aussi l'absurdité dont depuis le début du roman le style de Camus se fait le reflet : le temps morcelé de cette écriture où chaque phrase est un recommencement, un présent, nous apprend que les faits ne s'enchaînent pas. La succession incohérente de tous les présents du roman était la prémisse d'un acte lui aussi isolé et sans passé : l'inoffensif Meursault, l'homme le moins susceptible d'un meurtre tue un homme, à cause du soleil.

La fatalité

À regarder la succession des événements qui mènent au crime, on reconnaît **le visage ironique et cruel de la fatalité**. Si Meursault accompagne Raymond sur la plage, c'est pour prévenir un acte irréfléchi. C'est en sauvant l'Arabe, que Raymond était prêt à « descendre », que Meursault se trouve en possession du revolver. Le soleil, sous lequel se perpètrent les crimes des littératures méditerranéennes, fera le reste : Meursault est **pris dans un engrenage** qui, à son insu, le conduira au crime. Ce soleil, puissance extérieure et dominatrice, peut être considéré comme le symbole de la fatalité, qui rappelle à l'homme sa sujétion ; toute la fin du chapitre voit **Meursault malmené, plus souvent objet que sujet de l'action** : c'est la gâchette qui cède alors qu'il n'est plus conscient : « Tout mon être s'est alors tendu et j'ai crispé ma main sur le revolver. La gâchette à cédé... » (p. 95). La logique humaine ne suffit pas à tout expliquer : il faut faire la part de l'irrationnel, même si Apollon, dieu antique du soleil, n'a plus sa place dans un monde moderne épris de rationalité.

DEUXIÈME PARTIE, CHAPITRE 1
(pages 99 à 111)

RÉSUMÉ

Après son arrestation, Meursault subit plusieurs interrogatoires, d'abord au commissariat, puis devant le juge d'instruction, qui le reçoit dissimulé dans l'ombre, le fauteuil de Meursault étant sous la lumière. Cela lui semble un jeu. Trouvant son affaire très simple, il a négligé de prendre un avocat. On lui en commet un d'office. Celui-ci juge son affaire délicate, notamment à cause de l'attitude de Meursault le jour de l'enterrement de sa mère. La naïveté, la sincérité choquante des réponses de Meursault gênent l'avocat, qui, s'apprêtant à construire la défense de son client, a besoin de reconstruire les événements, fût-ce de façon mensongère. Meursault s'y refuse. Quant au juge d'instruction, qui lui aussi demande à Meursault s'il aimait sa mère, une seule chose le préoccupe : pourquoi Meursault a-t-il attendu entre le premier et les quatre autres coups de feu ? Meursault reste muet, le juge montre des signes d'agitation, puis, brandissant fiévreusement un crucifix, exalte sa foi religieuse et sa croyance dans le pardon de Dieu. Il sollicite alors le repentir de Meursault, qui, lassé par un discours qu'il suit mal, abruti de chaleur, l'écoute à peine et refuse d'entrer dans son jeu. Le juge retombe dans son fauteuil, l'air harassé. Meursault regrette-t-il son acte ? Non, plutôt que du regret, il éprouve un certain ennui. L'instruction dure onze mois. Meursault a le sentiment d'en être exclu maintenant que l'avocat y assiste : « Mais en vérité, ils ne s'occupaient jamais de moi à ces moments-là. »

COMMENTAIRE

La narration

Nous avions pris l'habitude, au cours de la première partie, d'une narration qui effaçait toute distance avec l'histoire. Un récit au jour le jour plongeait le lecteur dans l'existence et la pensée de Meursault, dans le temps de l'histoire racontée. Très peu de possibilités d'organisation romanesque du temps étaient exploitées : la succession de tous ces présents mis bout à bout était le mode unique de production du texte. Bien sûr, on observait quelques altérations, coupes franches, tempo accéléré, ou temps suspendu quand le regard se fige.

Mais dès le début de cette partie, on constate un **recul de la narration par rapport aux faits relatés** : elle est postérieure aux « ... onze mois qu'a duré cette instruction » (p. 110). On retrouvera l'écriture morcelée, mais le recul de la perspective enrichit le texte d'un nouveau type d'organisation : apparaît une structuration logique des événements, visible dans des connecteurs* tels que : « la première fois » (p. 99) « huit jours après... au contraire » (p. 99). Le recul temporel permet le rapprochement d'événements distants dans le temps, et leur organisation en discours cohérent, ce n'est plus la succession qui domine, c'est le **rapprochement thématique** : dans ce chapitre, celui des entrevues avec l'avocat et le juge d'instruction. Le suivant sera, lui, consacré à l'existence du prisonnier.

Le mensonge

On sait combien toute l'œuvre et toute l'action de Camus sont marquées par une réflexion sur la justice : sur la notion comme sur l'institution. En entrant dans l'univers de la loi, Meursault est d'abord entré dans celui du mensonge. Il s'agit pour son avocat d'une affaire délicate qui exige une collaboration étroite entre défenseur et accusé. Il n'est pas question pour lui de reconstituer la vérité, mais, au contraire de créer **une apparente cohérence** entre les éléments retenus par l'instruction, fût-ce au prix du mensonge. À deux reprises, l'avocat en formule l'exigence : « Il m'a fait promettre de ne pas dire cela à l'audience » (p. 102). Un procès s'organise autour d'une réalité tronquée de vérités mauvaises à dire. Pire, il lui demande l'autorisation de mentir : « Il m'a demandé s'il pouvait dire que ce jour-là, j'avais dominé mes sentiments naturels. » (p. 102). Dans de telles conditions, la justice, fondée sur le mensonge et la dissimulation, ne saurait faire éclater la vérité.

Un jeu de rôles

Univers du mensonge, le monde de l'institution judiciaire est aussi un lieu de comédie. Parlant du juge d'instruction, Meursault en fait lui-même la remarque : « Au début, je ne l'ai pas pris au sérieux. » (p. 100). Et de fait, la **mise en scène** qui l'attend établit les rapports sur un mode théâtral et factice : « Il avait sur son bureau une lampe qui éclairait le fauteuil où il m'a fait asseoir pendant que lui-même restait dans l'ombre. J'avais déjà lu une description semblable dans des livres et tout cela m'a paru un jeu. » (p. 100). Mais c'est un jeu où Meursault a pour rôle celui du criminel, rôle qu'il assume d'ailleurs fort mal.

Lors de la deuxième entrevue, le juge d'instruction passe à une autre scène du répertoire. Dès la page 105, une parole incongrue dans le cadre de cette procédure judiciaire : « [...] avec l'aide de Dieu, il [le juge] ferait quelque chose pour moi. » Son exaltation croît, et la confusion est totale lorsque, d'un geste théâtral de prédicateur illuminé, il brandit devant Meursault un crucifix d'argent : une fois de plus, l'interrogatoire est détourné, le judiciaire s'altère en religieux, on assiste à un **étrange cumul des fonctions de juge et de rédempteur**. C'est la dernière qui l'emporte : « [...] il n'y avait qu'un point d'obscur dans ma confession » (p. 107) ; le juge d'instruction s'est mué en confesseur, l'interrogatoire en confession, l'accusé en pécheur qui doit se repentir pour le salut de son âme : « [...] aucun homme n'était assez coupable pour que Dieu ne lui pardonnât pas, mais [...] il fallait pour cela que l'homme par son repentir devînt comme un enfant... » (*ibid.*). De cette scène, qui pourrait être pathétique, le regard démystificateur de Meursault (« Il agitait son crucifix »), la composition du texte — qui fait alterner morceaux de prêche et prosaïsme des préoccupations du héros —, font **une bouffonnerie**. D'un côté un crucifix brandi, une voix altérée, une élocution passionnée, de l'autre : « À vrai dire, je l'avais très mal suivi dans son raisonnement, parce que j'avais chaud et qu'il y avait dans son cabinet de grosses mouches qui se posaient sur ma figure… » (p. 107). On acquiert la certitude qu'il s'agit là d'une nouvelle mise en scène (sans doute sincère) du juge d'instruction, car ce n'est pas la première fois qu'il a recours à ce simulacre destiné à forcer l'aveu : « Les criminels qui sont venus devant moi ont toujours pleuré devant cette image de la douleur. » (p. 109).

L'avocat lui aussi semble répéter un rôle appris. Son costume, hors-saison étant donné la chaleur, est un **habit de convention.** Pour décrire cet avocat, le style reprend les moyens employés dans la description de la petite automate, notamment la décomposition analytique du mouvement : « Il a posé… s'est présenté… et m'a dit… » (p. 101). Placés par la syntaxe sur un plan d'égalité, paroles et gestes deviennent des actes machinaux, indifférenciés : « Il a posé sur mon lit la serviette qu'il portait sous le bras, s'est présenté et m'a dit qu'il avait étudié mon dossier. » (p. 101). Tout le personnage est pétri de conformisme. Son vêtement, on l'a dit, mais ses paroles surtout, constituées de **formules toutes faites** : « mon affaire était délicate », « entrons dans le vif du sujet » (*ibid.*). C'est un pantin au mécanisme bien remonté. Le rituel a remplacé l'homme, dépossédé de toute vie authentique.

Le refus du masque de criminel

Dans ce monde de convention où il est nécessaire, pour bien jouer son rôle, d'en connaître les règles, Meursault est un étranger. Ainsi, il demande au juge (p. 99) s'il est nécessaire de prendre un avocat. « … Il était visible qu'il n'avai[t] jamais eu de rapports avec la justice. » lui dit son avocat. Mais surtout, Meursault ne parvient pas à se reconnaître dans ce personnage qu'a fait de lui la justice : un criminel : « […] j'allais même lui tendre la main, mais je me suis souvenu à temps que j'avais tué un homme. » (p. 100), et « C'était une idée à quoi je ne pouvais pas me faire. » (p. 109). C'est que, pour Meursault, le criminel est **une nouvelle abstraction** (une idée), une imagerie de convention, une métamorphose qu'il n'éprouve pas, qui suppose par exemple qu'on ne puisse plus serrer la main. Lui, dont le présent est la seule réalité (mais cela change dans cette partie), ne s'éprouve pas criminel à chaque nouvel instant, n'adopte pas les attributs de sa métamorphose.

Meursault, nouveau Candide

À cause de son ignorance du fonctionnement de la justice, de son inaptitude à se couler dans cette peau de criminel, Meursault apparaît face à ses juges comme un nouveau Candide démontrant les mécanismes pervers de la justice : ses méthodes et ses faux-semblants qui l'empêchent de la prendre au sérieux : « [...] tout cela m'a paru un jeu. » (p. 100). Sous la lumière nouvelle de son regard, exempt de préjugés, à l'instar de celui d'un ingénu, nous pouvons douter de la légitimité d'une procédure qui s'intéresse plus à son attitude pendant l'enterrement de sa mère qu'au crime qu'il a commis : « Je lui ai expliqué que cette histoire n'avait pas de rapport avec mon affaire... » (p. 103). Candeur également, quand il s'étonne que l'instruction de son procès se poursuive sans lui : « [...] le juge discutait les charges avec mon avocat. Mais en vérité, ils ne s'occupaient jamais de moi à ces moments-là. » (p. 110). Ce n'est d'ailleurs que lorsqu'elle le tient à l'écart et que le refus de Meursault de jouer le jeu (mentir, se repentir) ne la gêne plus, que Meursault trouve sa place dans la machine judiciaire : « Tout était si naturel, si bien réglé et si sobrement joué que j'avais l'impression ridicule de "faire partie de la famille". » (p. 110).

DEUXIÈME PARTIE, CHAPITRE 2
(pages 113 à 126)

RÉSUMÉ

Enfermé avec d'autres détenus le jour de son arrestation, Meursault est très vite isolé dans une autre cellule, où, d'une petite fenêtre, il peut voir la mer. Marie lui rend visite au parloir. Mais un espace de dix mètres sépare les détenus des visiteurs, et le vacarme de leurs conversations, la lumière crue étourdissent Meursault. Les paroles sont couvertes par le bruit, l'attention de Meursault est sans cesse détournée,

Eau-forte de Mayo pour *L'Étranger*, éd. N.R.F., 1946.

et lui qui voudrait serrer Marie ne répond à ses questions que par monosyllabes.

Ce n'est qu'après l'unique lettre qu'elle lui écrit que Meursault se sent vraiment en prison. Au début, ses envies d'homme libre le torturent : envie de la mer, de cigarettes, désir d'une femme. Mais il s'habitue à ces privations, comprend que c'est en elles que consiste la punition : être privé de la liberté. Pour tuer le temps, il apprend à se souvenir, dort, lit et relit l'histoire du Tchécoslovaque, un fait divers trouvé sous son matelas. Il ne se trouve pas trop malheureux. Les jours perdent leur nom, lui la notion du temps. Un soir, dans le miroir d'une casserole, il sourit à son image qui reste impassible. Il s'aperçoit qu'il parle seul depuis déjà longtemps.

COMMENTAIRE

La cellule, le parloir

Il y a, dans ce chapitre, deux moments nettement démarqués : la visite au parloir et l'existence en prison. Il est intéressant de souligner les caractères qui les opposent, parce qu'en chacun d'eux se reconnaissent les deux modes principaux de la narration.

On retrouve, avec la scène du parloir, l'écriture bien connue de la première partie qui projette sans recul **le présent vécu** du héros. On retrouve également la succession temporelle comme principe de progression du texte, celui des présents égrenés par une conscience réduite au rôle de caméra. Sous la violence de la lumière et des cris, Meursault sorti de l'ombre ne parvient pas à rassembler sa conscience, à l'arrêter sur Marie avec qui la communication se révèle très vite impossible. Happée d'un côté par les hurlements de la grosse femme, captivée de l'autre par le silence de cette mère et de son fils « qui se regardaient avec intensité », **la conscience est morcelée**, capable tout au plus de saisir des bribes éparses de réel. Comportement habituel de Meursault : l'indifférenciation : « Elle a dit alors très vite [...] que oui, que je serais acquitté et qu'on prendrait encore des bains. » (p. 117). Puis le temps dévorateur (ce présent qui s'empare de la conscience) a raison de lui : « Je me sentais un peu malade et j'aurais voulu partir. » (p. 118). Meursault, comme on l'a déjà si souvent vu le faire (sous le soleil de l'enterrement, avec le juge d'instruction), s'absente, il ne sait plus « combien de temps a passé », les paroles de Marie s'estompent dans le vague d'un « Marie m'a *parlé* de son travail » (*ibid.*).

Tout autre est la suite, qui traduit d'emblée le **recul de la narration**, marqué par le présent de « il *faut* » : « De toute façon, il ne faut rien exagérer, cela m'a été plus facile qu'à d'autres. » (p. 119). Situé au-delà (au moins) des cinq mois évoqués à la fin du chapitre, le narrateur jette **un regard rétrospectif** sur son existence de prisonnier. La prison, c'est le lieu de l'absence, rien ne s'y passe, le monde extérieur s'efface et, pour la première fois, Meursault entre en lui, se penche sur son passé : c'est **le temps de la conscience**. Pour la première fois, il ne vit plus dans l'instant, échappe à l'aliénation* du morcellement.

La transformation de l'homme libre en prisonnier

Elle permet une organisation thématique du texte : pensées d'homme libre, femmes, cigarettes, souvenirs, sommeil, histoire du Tchécoslovaque (à noter que cette histoire « à la fois invraisemblable et naturelle » est le résumé du *Malentendu*, pièce de Camus jouée au théâtre des Mathurins en 1944). Autrefois, tout cela nous eût été livré pêle-mêle. Un même mouvement emporte les cinq premiers paragraphes : ils reproduisent tous la transformation d'un homme aux pensées d'homme libre (p. 119) en homme dont les pensées sont celles d'un prisonnier (p. 120). Au début de sa détention, à chaque privation répond une forme d'évasion : « À imaginer le bruit des premières vagues sous la plante de mes pieds… » (p. 119) ; « Mais je pensais tellement à une femme […] que ma cellule s'emplissait de tous les visages et se peuplait de mes désirs. » (p. 121). Mais ces échappées dans l'imaginaire, ces désirs d'homme libre lui font éprouver plus cruellement encore sa condition de prisonnier : « […] je sentais tout d'un coup combien les murs de ma prison étaient rapprochés. » (p. 120) ; « Dans un sens, cela me déséquilibrait. » (p. 121). Ce n'est qu'avec l'habitude, et dans l'acceptation de sa condition, qu'il trouve une certaine forme de sagesse et de paix.

L'homme vainqueur de son destin

Peu à peu ont disparu ces désirs qui sont ceux d'une autre condition. Meursault comprend, mais surtout admet l'**équivalence de toutes les vies** (il en avait déjà formulé l'idée devant son patron) : « […]

dans un tronc d'arbre sec [...] J'aurais attendu des passages d'oiseaux [...] comme j'attendais ici les curieuses cravates de mon avocat et comme dans un autre monde, je patientais jusqu'au samedi pour étreindre le corps de Marie. » (p. 120). À chaque vie sa prison, ses privations et ses attentes. Il relativise aussi : « Il y avait plus malheureux que moi. » (p. 120).

En acceptant sa **condition de prisonnier**, peut-être **symbole de toute condition d'homme**, Meursault triomphe de son destin, et se place au-dessus de la fatalité qui le broie. Et lorsqu'il dit : « Les premiers mois ont été durs mais justement, l'effort que j'ai dû faire aidait à les passer. » (p. 120), c'est Sisyphe qu'on croit entendre. Pour Morvan Lebesque, d'ailleurs, Camus « n'avait créé un héros tragique que pour aider les hommes à vaincre leur destin. » (*Camus par lui-même*, p. 50).

Le destin maîtrisé

On a vu au parloir Meursault malmené, sa conscience morcelée et aliénée. Les mois d'incarcération montrent une **métamorphose du héros**, une victoire sur le temps dévorateur. Meursault était un objet, jouet du monde et sujet passif. (Voir à cet égard l'abondance d'expressions, p. 116 et 117, et dans toute la première partie, comme « Il y avait », « j'ai remarqué », « je me suis aperçu », « j'ai observé », qui ne font que constater l'être-là des choses et leur enregistrement par la conscience). La métamorphose est sensible dans l'apparition de très nombreux verbes d'action, **action de l'esprit** essentiellement : de sujet passif, Meursault devient sujet maître (p. 122 et 123) : « Je me mettais... à penser... je partais d'un coin pour y revenir en dénombrant... je recommençais... j'essayais... je réfléchissais... ».

Il fait montre également de facultés intellectuelles qu'on lui ignorait jusqu'à maintenant :

— analogiques, lorsqu'il compare l'attente du passage des oiseaux à celle des cravates de son avocat et à celle du corps de Marie (p. 120) ;

— imaginatives, c'est-à-dire créatrices, dans le même passage que ci-dessus, où elles sont marquées par le « si » d'hypothèse et le conditionnel, et page 123 : « J'ai compris alors qu'un homme qui n'aurait vécu qu'un seul jour pourrait sans peine vivre cent ans dans une prison. »

— analytiques et synthétiques : tout le chapitre, qui classe en éléments distincts sa vie de détenu, en témoigne ;

— on voit aussi se multiplier les expressions qui marquent le balancement dialectique* d'une pensée en action : « dans un sens... », « d'un côté... de l'autre ».

Paradoxalement, c'est **en prison** que Meursault découvre la **liberté** et la **puissance de l'esprit**. Il peut alors donner un sens à ce passé qu'il tire du chaos de la succession des présents, pour le constituer en histoire. Il accède ainsi à l'histoire personnelle, et prend possession de son destin.

DEUXIÈME PARTIE, CHAPITRE 3
(pages 127 à 149)

RÉSUMÉ

Aux assises, dans la chaleur d'un jour de juin, l'affaire de Meursault doit passer avant celle d'un parricide. Le matin, Meursault confie à un gendarme l'intérêt qu'il trouve à assister à un procès ; il n'en a jamais eu l'occasion. Dans la salle pleine à craquer où l'on se presse pour le voir, le rang des jurés lui fait l'effet d'une banquette de tramway à l'affût de ses ridicules. Les journaux sont présents. Dans cette salle où l'agitation, les rires et les conversations lui font penser à un club, il a l'impression d'être en trop.

Entre la cour ; la séance débute avec les formalités d'identité, et la lecture des faits. À l'appel des témoins, se lèvent un à un dans le public les membres du personnel de l'asile, puis Marie, Raymond et d'autres de ses amis, qu'il s'étonne de ne pas avoir aperçus. La matinée s'achève sur quelques questions du président concernant sa mère, celles du procureur au sujet du meurtre de l'Arabe. L'audition des témoins, le directeur de l'asile, le concierge, Pérez, a lieu l'après-midi : Meursault n'a pas pleuré à l'enterrement, il a fumé une cigarette dans la morgue, il a dormi ; la salle est consternée et le procureur triomphe. Puis comparaissent

Céleste qui ne sait que répéter que « c'est un malheur », Marie, qui éclate en larmes parce que « on la forçait à dire le contraire de ce qu'elle pensait. » Le procureur conclut de son témoignage que, « le lendemain de la mort de sa mère, cet homme prenait des bains, commençait une liaison irrégulière, et allait rire devant un film comique. » C'est à peine si l'on écoute Masson et Salamano, et, à la suite du témoignage de Raymond, le procureur en appelle au crime crapuleux où l'inculpé, complice d'un souteneur, a liquidé une affaire de mœurs. Les dernières paroles du procureur sont accablantes : « J'accuse cet homme d'avoir enterré sa mère avec un cœur de criminel. » A la réaction de son avocat, Meursault comprend que le procès tourne mal. L'audience levée, dans le fourgon qui le reconduit à sa cellule, il retrouve les bruits familiers, les odeurs d'une vie qu'il aimait.

COMMENTAIRE

Meursault spectateur de son procès

On juge un homme pour meurtre. Mais voici la première impression qu'il nous livre à son arrivée aux assises : « [...] tout un remue-ménage qui m'a fait penser à ces fêtes de quartier [...] » (p. 128). On lui demande s'il a le « trac » : « J'ai répondu que non. » (*ibid.*) On est alors en droit de penser : Meursault se désintéresse, Meursault n'est « pas là ». Détachement, oui, car il sent « de trop, un peu comme un intrus. » (p. 130). Mais il n'est pas absent, loin de là. Au contraire, le **détachement** fait de lui (et de nous) un spectateur de ce spectacle qu'est son procès : « Et même dans un sens, cela m'intéressait de voir un procès. Je n'en avais jamais eu l'occasion... » (p. 128). Le détachement lui donne le recul nécessaire à l'observation remarquable dont il fait preuve dans ce texte.

On a déjà constaté, tout au cours de la première partie, le **don d'observation** de Meursault. À son procès, il s'intéresse aux habits (Céleste, le procureur), à une foule de détails (mise en marche des ventilateurs, éventails, etc.). Ce qui est beaucoup plus important, et nouveau, c'est qu'il se montre capable de fixer nombre de signes, de nuances d'**intérêt psychologique** :

— nuances de la parole : « ... d'un ton péremptoire » (p. 141) ;

— du regard : « Le concierge m'a regardé alors avec un peu d'étonnement et une sorte de gratitude. » (p. 139) ;

— du geste : « il a serré la main du gendarme avec beaucoup de chaleur. » (p. 130).

Un art du détail signifiant

Le regard de Meursault révèle aussi une prédilection pour les détails qui conduisent à une explication psychologique. Cette fois-ci il se contente de nous montrer des signes qu'il nous laisse le soin de décrypter :

— fureur du procureur après un succès de l'avocat : « Le procureur avait le visage fermé et piquait un crayon dans les titres de ses dossiers. » (p. 141) ;

— gêne de l'accusateur : « Le directeur a regardé alors le bout de ses souliers... » (p. 137) ;

— honte du concierge : « En arrivant, le concierge m'a regardé et il a détourné les yeux. » (p. 138) ;

— indignation, ou consternation : « Le silence était complet dans la salle quand elle [Marie] a eu fini. » (p. 144).

Toutes ces petites notations qui relèvent d'un art de la suggestion à la façon impressionniste nous permettent de suivre très exactement le cours du procès, l'ambiance qui y règne, les attitudes, les intonations, les caractères (par exemple, tous les signes manifestés par le procureur font de lui un personnage haïssable).

Meursault et la machine judiciaire

Malgré l'acuité de son regard et sa pénétration psychologique, on a pourtant le sentiment que Meursault n'est pas complètement présent, qu'il n'a pas vraiment conscience de l'enjeu du procès et ne comprend pas bien son déroulement : « Tout ensuite a été un peu confus, du moins pour moi. » (p. 136) ; « [...] je n'ai repris conscience du lieu et de moi-même que lorsque j'ai entendu parler le directeur de l'asile. » (p. 137). Comment résoudre ce paradoxe ? À chaque fois que Meursault « décroche », c'est la machine judiciaire qui est en marche : « C'est peut-être pour cela, et aussi parce que je ne connaissais pas les usages du lieu, que je n'ai pas très bien compris tout ce qui s'est passé ensuite, le tirage au sort des jurés... » (p. 132). Un rapport suggéré de cause à effet manifeste son ignorance : « Un huissier a annoncé la cour. Au même moment, deux gros ventilateurs ont commencé de vrombir. » (p. 131).

La compréhension de son procès n'est accessible à Meursault que par la porte étroite de ce qui est « naturel », humain, dans ce procès. Une fois de plus, il reste **hermétique aux codes du genre**. La qualité des plaidoiries, les stratégies adoptées (celle du procureur), il ne les juge pas, mais se contente de les transcrire. Cela est si vrai que ce n'est pas une démonstration de sa culpabilité qui lui fait prendre conscience qu'il est coupable (il n'est pas sensible aux arguments), mais la réaction que suscitent dans le public les « preuves » de sa culpabilité : « J'ai senti alors quelque chose qui soulevait toute la salle et, pour la première fois, j'ai compris que j'étais coupable. » (p. 138). De la même façon, ce n'est pas la conscience de la stratégie ou des avantages gagnés par l'accusation qui lui fait comprendre que son procès tourne mal, mais la constatation que son avocat « paraissait ébranlé » (p. 148).

La comédie des sentiments

Une salle d'audience est **un lieu éminemment théâtral :** habits des juges, de l'avocat, du procureur ; un public, une scène ; des rôles : témoins, défense, accusation ; un cérémonial : tirage au sort des jurés, questions posées par le président à l'avocat... Dans cette arène s'affrontent le procureur et l'avocat : il s'agit de gagner les jurés ; les moyens employés sont ceux de la comédie.

Au clinquant de la parole, le procureur associe la grandiloquence du geste : « Mais le procureur s'est redressé encore, s'est drapé dans sa robe... » (p. 148), la violence de l'indignation : « Mais le procureur s'est élevé avec violence contre cette question... » (p. 139). Quelques indices sont là, s'il est besoin, pour rompre le charme :

— tactique de l'insinuation mise à nu : « Le procureur a remarqué d'un air indifférent qu'il lui semblait que c'était le lendemain de la mort de maman. » (p. 143) ;

— appréciation de ses dons de simulation : « Le procureur s'est alors levé, très grave, et d'une voix *que j'ai trouvé vraiment émue*, le doigt tendu vers moi, il a articulé lentement... » (p. 144). Il en fait trop, et le portrait touche ici à la satire.

L'avocat a moins de talent. Tournée en dérison, son interprétation n'est plus qu'agitation guignolesque, et l'éloquence de ses bras levés s'achève dans la trivialité d'une remarque vestimentaire : « Mais mon avocat, à bout de patience, s'est écrié en levant les bras, de sorte que ses manches en retombant ont découvert les plis d'une chemise ami- donnée... » (p. 147). Il joue faux, maîtrise mal ses effets : « Il a demandé à Pérez, sur un ton qui m'a semblé exagéré... » (p. 140).

Quant au public, veule et impressionnable, quelques trucs d'illusion- niste, quelques mots de toc (« une relation profonde, pathétique, essen- tielle » ; « un fils se devait de refuser devant le corps de celle qui lui avait donné le jour ») suffisent à le tenir sous le charme. Il boit les paroles du procureur alors même qu'elles sont les plus extravagantes : « ''Oui, s'est-il écrié avec force, j'accuse cet homme d'avoir enterré une mère avec un cœur de criminel.'' Cette déclaration a paru faire un effet considérable sur le public. » (p. 148).

Les sentiments sans paroles

En face de ces professionnels, du talent desquels dépend l'issue du procès, il y a Céleste, malhabile avec les mots : un homme ? [...] « tout le monde savait ce que cela voulait dire... » (p. 141). Un malheur ? [...] tout le monde sait ce que c'est. » (p. 142). Et lui qui, exactement à l'inverse du procureur, a le cœur, mais pas les mots, est réduit à une impuissance poignante : « Comme s'il était arrivé au bout de sa science et de sa bonne volonté... Il m'a semblé que ses yeux brillaient et que ses lèvres tremblaient. Il avait l'air de me demander ce qu'il pouvait encore faire. » (p. 142). Il y a Marie qui fond en larmes parce qu'elle sent bien que les mots la trahissent : « Marie a éclaté en sanglots, a dit que ce n'était pas cela, qu'il y avait autre chose, qu'on la forçait à dire le contraire de ce qu'elle pensait, qu'elle me connaissait bien et que je n'avais rien fait de mal. » (p. 145).

C'est que, le **langage** étant une **création sociale**, il est **asservi à l'expression des mythes reconnus par la collectivité.** Le sentiment authentique et toujours unique se trouve souvent dépourvu de mots, à l'inverse du sentiment convenu (ceux que simule le procureur, dont il lui suffit d'emprunter les signes à un modèle préétabli dont l'usage social sanctionne l'existence), qui trouve dans le langage un habit fait pour lui, à sa mesure, mais qui n'est plus qu'une forme vide et infidèle. On a ici une explication vraisemblable du silence insistant de Meursault, tant dans sa vie quotidienne qu'au cours du procès (on l'a vu se dres- ser contre l'emploi de certains mots : « amour », « autre vie », « maîtresse »). Refusant la scène pour laquelle la plupart des hommes ont sacrifié leur être véritable, il ne peut que se défier d'un langage conçu à l'usage de cette scène, et des comédies qui s'y jouent.

L'humanité de Meursault

La première partie nous avait montré Meursault indifférent à l'amitié (Raymond), étranger à l'amour (Marie), sans larmes pour pleurer la mort d'une mère. Ses seules effusions allaient à la nature. Avait-il un cœur sec, ou couvrait-il ses sentiments du silence de ceux qui ne se livrent pas ? Toujours est-il que le texte se colore ici d'humanité ; celle d'abord que supposent ses **facultés de psychologue** ; celle, émouvante, dont témoigne l'**envie de pleurer** qui le prend lorsqu'il comprend combien il « étai[t] détesté par tous ces gens-là » (p. 138) ; celle aussi de la **reconnaissance** qu'il éprouve pour Céleste : « [...] mais c'est la première fois de ma vie que j'ai eu envie d'embrasser un homme. » (p. 143). Plusieurs fois déjà, on a vu l'inaptitude de Meursault à s'extérioriser, au parloir avec Marie : « Je l'ai trouvée très belle mais je n'ai pas su le lui dire. » (p. 116). Même retenue ici devant Céleste : « Moi, je n'ai rien dit, je n'ai fait aucun geste, mais... » (p. 142). Peut-être Camus, alors même qu'on juge un homme pour n'avoir pas pleuré à l'enterrement de sa mère (« J'accuse cet homme d'avoir enterré une mère avec un cœur de criminel »), veut-il nous empêcher de confondre, à l'instar des juges de Meursault, effusion et sentiments. Rappelons-nous à cet égard la comédie jouée par le procureur.

Le lecteur complice

Avons-nous le choix de notre camp ? En faisant de nous les témoins de l'existence de Meursault et de son crime, Camus requiert notre complicité. Nous voyons triompher l'injustice, l'erreur des reconstitutions d'une justice qui cherche la cohérence là où régnaient hasard et chaos. Toute la stratégie du procureur vise à cette démonstration : cet homme a une âme de criminel, donc il a tué. Nous savons que c'est faux. Pour nous associer plus sûrement à sa dénonciation de la justice et de ses méthodes, Camus accuse le **manichéisme des traits** : un procureur haineux, odieux, des témoins à charge honteux de leur rôle, lâches (le concierge : « Je n'ai pas osé refuser la cigarette que Monsieur m'a offerte. »), un public imbécile : tendresse, pleurs, amitié dans le camp de la victime.

RÉSUMÉ

De ce procès duquel il se sent exclu et des plaidoiries, autant celle de son avocat que celle du procureur qu'il ne trouve en fin de compte pas très différentes, Meursault se lasse vite. Seuls quelques épisodes isolés éveillent son intérêt. Le procureur tente de démontrer la préméditation : Meursault a tué en pleine connaissance de cause. Son attitude envers sa mère prend le pas sur le crime lui-même : Meursault est un monstre moral qui représente un danger pour la société. Le procureur assimile son crime à celui du parricide jugé le lendemain, et s'il s'enhardit à avancer qu'on peut juger Meursault coupable de ce même crime. Fort de sa démonstration, il demande la tête de Meursault. Le président demande à l'accusé s'il a quelque chose à dire, et, pour la première fois, Meursault demande la parole, parce qu'il a « envie de parler ». Il dit qu'il n'a pas eu l'intention de tuer l'Arabe, et, conscient du ridicule de son affirmation, que c'est à cause du soleil : des rires se font entendre dans la salle.

C'est alors le tour de l'avocat qui plaide les circonstances atténuantes. Il brosse un portrait de Meursault, fils modèle, travailleur infatigable, mais il manque de talent, et élude la question de l'enterrement. Meursault, ennuyé, est ailleurs, attiré par les bruits de la rue. Pendant les délibérations, l'avocat se montre confiant, il croit en une issue favorable. À son retour dans la salle où va lui être lue la sentence, à peine a-t-il le temps de constater le silence, les yeux qui fuient son regard, que le président fait lecture de la condamnation : la mort. Il aura la tête tranchée sur une place publique au nom du peuple français.

COMMENTAIRE

Composition, matière et mouvement du texte

Le chapitre 3 retraçait l'ouverture du procès, l'audition des témoins et les débats. Celui-ci est consacré à la dernière phase de son déroulement : le plaidoyer du procureur, celui de l'avocat et la sentence. La composition du texte épouse la marche du procès.

Alors que la nouveauté des lieux (la salle, le protocole, les journalistes), le nombre des intervenants donnaient lieu à de nombreuses descriptions, à une restitution de l'atmosphère, de la réalité extérieure et physique, ici, la matière du récit est d'une nature toute différente ; il est constitué pour l'essentiel de **discours** et de **pensées** : discours du procureur et de l'avocat, **paroles intérieures** et **réflexions** que suscitent en Meursault les plaidoiries.

Un même balancement rythme les plaidoyers : le texte, dans un **mouvement continu de va-et-vient**, passe des discours extérieurs des orateurs aux monologues intérieurs du héros. Trois fois, le passage de l'un à l'autre est nettement démarqué par le dédoublement du pronom de la première personne : « moi je », pp. 154, 157, 159. Outre un rôle structurant — c'est un élément de clarté —, il souligne la **dualité moi / les autres**, dualité le plus souvent vécue sur un mode d'opposition. À ce « moi », répondent symétriquement les nombreux « pour lui, selon lui » qui remplissent les mêmes fonctions.

Un montage habile des séquences

L'alternance évoquée ci-dessus joue toujours en faveur de Meursault. Page 154, explicitement, ses réflexions attirent l'attention sur une anomalie de l'argumentation : « Mais je ne comprenais pas bien comment les qualités d'un homme ordinaire pouvaient devenir des charges écrasantes contre un coupable. »

La simple juxtaposition d'une séquence de monologue intérieur et d'un morceau de discours peut suffire à invalider les développements du procureur : ainsi, c'est juste après que le héros a exprimé des sentiments empreints d'humanité et de bienveillance envers le procureur, qui pourtant s'acharne à sa perte, que ce dernier l'accuse précisément d'inhumanité. On trouve en regard : « J'aurais voulu essayer de lui expliquer cordialement, presque avec affection... » (p. 154) et : « Il disait qu'à la vérité, je n'en avais point, d'âme, et que rien d'humain, et pas un des principes moraux qui gardent le cœur des hommes ne m'était accessible. » (p. 155). Par ce simple procédé de composition, Camus fait l'économie d'une réfutation explicite, laissant au lecteur le soin de confronter les points de vue en présence.

Polémique camusienne

À travers cet exemple, on voit à quel point ce procédé d'écriture peut servir la visée polémique du texte : Camus use d'une licence romanesque qui lui permet de parcourir, en les imbriquant, des niveaux de réalité différents : ceux de la **conscience intérieure** et de la **réalité extérieure** (paroles). C'est la parole muette, intérieure, qui constitue à notre endroit (nous lecteurs) la défense de Meursault. Pour que soient plus éclatantes encore l'injustice de la condamnation, l'impuissance de la machine judiciaire à saisir la réalité dont elle s'empare, il fallait que fussent anéantis tous les arguments, tous les principes du judiciaire, et que Meursault pourtant fût condamné. C'était constater l'échec d'une reconstitution signifiante des faits par le biais de la psychologie, l'échec d'une appropriation de la réalité (il y a, entre « notre » Meursault et Meursault « pour la justice », la même différence qu'entre une personne et un personnage) par le langage théâtralisé de la fiction judiciaire, **l'indigence de la rationalité** comme principe d'appréhension d'un **monde irrationnel**.

Seul le procédé littéraire de l'adjonction d'une conscience à l'extériorité des paroles qui la jugent autorisait ce paradoxe d'un innocent (relatif) condamné à la peine capitale.

On reconnaît à ce mouvement du texte le principe structurel du roman : il fait succéder à la vie que nous avons vécue dans la conscience du héros l'**interprétation** que font les hommes de cette vie : première et deuxième partie. Il y a là une identité entre les macro- et les micro-structures.

Les catégories du discours*

Comme on l'a constaté, presque tout le texte est constitué d'une relation de paroles ou de pensées. C'est donc le lieu privilégié d'un jeu sur les ressources romanesques d'insertion d'un discours dans le flot de la narration.

Le **style direct** domine. Restituant fidèlement, sans aucune médiation, les paroles prononcées, il met en scène le langage, celui du procureur ou de l'avocat. C'est donc un **discours portrait**, dont le langage, la forme, permettent de caractériser l'énonciateur*. Sont restituées ainsi, la rhétorique*, les techniques oratoires des deux adversaires. Leur présence en tant que personnes physiques est maximale, puisque ce style associe étroitement la parole à celui qui la prononce. Il en résulte que l'emploi du style direct correspond le plus souvent aux points d'orgue des argumentations, aux moments où elles sont pour nous les plus cruellement erronées, les plus scandaleuses ou dramatiques :

— scandaleuses, lorsque le procureur oppose à la « tolérance » la « justice », fondant ainsi le principe de cette dernière sur l'intolérance (p. 155) ;

— aberrantes : « […] vous ne trouverez pas ma pensée trop audacieuse, si je dis que l'homme qui est assis sur ce banc est coupable aussi du meurtre que cette cour devra juger demain. » (p. 157) ;

— dramatiques : « Je vous demande la tête de cet homme, a-t-il dit, et c'est le cœur léger que je vous la demande. » (p. 157).

Au contraire, le **style indirect** efface la présence de l'énonciateur : les caractères propres à son langage ne sont pas reproduits ; seul est conservé le contenu des paroles rapportées dans le style du narrateur. Assez peu employé, ce style correspond dans le texte à un effet d'estompage ; il ménage l'éclat de l'emploi du style direct, qui, par contraste, gagne en puissance. Cette fonction est particulièrement sensible entre les deux passages au style direct précédemment cités : éloignant dans la distance d'un discours rapporté la présence du procureur, elle favorise un relâchement du climat tragique avant le coup assené par la demande d'une peine capitale (pp. 156-157).

Quant au **style indirect libre** qui fait entendre simultanément deux voix, il permet d'insinuer, dans la relation même du discours des orateurs, l'opinion que Meursault s'en fait. Par exemple (p. 156), son emploi, qu'appuie la répétition de « selon lui », signale que Meursault ne souscrit pas à cet exposé de valeur générale : « Selon lui, l'imagination reculait devant cet atroce attentat […] Toujours selon lui, un homme qui tuait moralement sa mère se retranchait de la société des hommes… ». Même réserve à l'égard des affirmations exagérées de l'avocat : « Pour lui, j'étais un fils modèle qui avait soutenu sa mère aussi longtemps qu'il avait pu. » (p. 160).

Illustrons d'une étude plus systématique le bénéfice stylistique que tire Camus du jeu des catégories du discours, à partir de : « J'avais écrit la lettre… » jusqu'à : « J'ai retracé devant vous… » (p. 153). Le style indirect libre supprime les signes d'une insertion syntaxique du discours dans le cours de la narration (« il dit que »). Ne reste alors visible du style indirect que le lien des transformations verbales et pronominales (le passé composé devient plus-que-parfait). L'effet est ici particulièrement saisissant, parce que les paroles transposées décrivent les intentions supposées de Meursault. Le *il* se trouve alors converti en *je* : « J'avais écrit la lettre d'accord avec Raymond [...] J'avais abattu l'Arabe comme je le projetais. » L'effet est beaucoup plus spectaculaire qu'il ne le serait avec le style indirect (« il disait que j'avais écrit la lettre d'accord avec Raymond »). Il semble que Meursault parle en son nom, et, d'être ainsi prononcée par celui-ci même qui a vécu les événements, la fausseté de leur interprétation apparaît dans toute sa cruauté.

Après cela, le passage au style direct (« Et voilà, messieurs, a dit l'avocat... ») nous replace dans les conditions réelles du procès, et nous fait entendre les paroles effectives, telles qu'elles sont prononcées et entendues. Le commentaire que fait le procureur de sa reconstitution, pour nous d'une fausseté consternante, est reproduit tel que l'entend l'auditoire, sans distance : pour lui effectivement, ces paroles retracent ce qui s'est passé : « J'ai retracé devant vous le fil d'événements qui a conduit cet homme à tuer en pleine connaissance de cause. » Par ce changement de style, nous sommes passés de la perception du discours par la conscience de Meursault à celle de l'auditoire, qui constituent deux univers radicalement étrangers l'un à l'autre.

Les plaidoyers

« L'avocat levait les bras et plaidait coupable, mais avec excuses. Le procureur tendait ses mains et dénonçait la culpabilité, mais sans excuses. » (p. 151). Placés sous le signe de la similitude et du manichéisme, les deux plaidoyers se ressemblent par leur excès. Meursault est, pour le procureur, un monstre d'insensibilité qui tue moralement sa mère ; pour l'avocat « un fils modèle qui avait soutenu sa mère » (p. 160). Même extrémisme dans l'expression de leurs thèses sur le « remords » de l'accusé (p. 154 et 161). Impliquant la nuance et le juste milieu, la vérité n'a pas de place dans un tel procès. Meursault non plus d'ailleurs, comme il le constate : « Moi, j'ai pensé que c'était m'écarter encore de l'affaire, me réduire à zéro... (p. 159). Le procès se résume alors à l'**affrontement de deux orateurs** à qui tous les moyens sont bons pour emporter la partie. Tous deux habillent leurs paroles des **séductions de la rhétorique**. Orateurs, ils pratiquent l'*oratio*, l'art de la persuasion. Voici quelques-unes des « ficelles » de cette discipline :

— **interrogation oratoire** : « A-t-il seulement exprimé des regrets ? » (p. 154). L'interrogation oratoire est en fait une affirmation déguisée sous les dehors d'une interrogation. Elle emprunte à l'interrogation la propriété qui fait sa force : la question crée une tension psychologique chez l'auditeur, l'oblige à mobiliser son esprit et à répondre lui-même : « non, en effet, il n'a exprimé aucun regret. » ;

— **adresse** : « Messieurs ». C'est aussi une façon de capter l'attention. Celui à qui l'on dit *vous* (*tu*), est, de ce fait, immédiatement impliqué ;

— **hyperboles* et superlatifs** : « remords éternels », « abominable forfait », « atroce forfait », « aveuglante clarté », « jamais autant qu'aujourd'hui » ;

— **périphrases** : « porter la main » pour : « tuer », « auteur de ses jours » pour : « père ». (On trouvait, au chapitre 3, « le corps de celle qui lui a donné le jour » pour « le corps de sa mère »). Ces périphrases fortement théâtralisées posent le problème de la désignation : une même réalité peut être nommée de plusieurs façons, mais certaines orientent l'interprétation, véhiculent des connotations*. Le problème est un peu similaire avec l'emploi du mot *maîtresse* (p. 153). Par rapport à Marie, nom propre qui est pure désignation, *maîtresse* a une connotation morale négative, qui suppose un jugement porté sur la chose désignée ;

— nombreuses formes d'**insistance** et **répétitions** : « jamais » … « pas une seule fois » (p. 154) ; « rien trouvé » ; « rien d'humain » … « pas un des principes » … (p. 155) ; « compensé, balancé, éclairé » ; « Je vous demande […] que je vous la demande. » (p. 157).

L'accusation

Outre la fausseté de toute la reconstitution imaginée par le procureur, visant à prouver la préméditation, le plus scandaleux est **le glissement qu'il fait subir au chef d'accusation**. Meursault remarque lui-même : « […] il a parlé de mon attitude envers maman […] il a été beaucoup plus long que lorsqu'il parlait de mon crime. » (p. 156). Plus que du meurtre de l'Arabe, **c'est de ses sentiments présumés envers sa mère que Meursault est accusé**. À cette première déviation s'en ajoute une seconde : « […] l'homme qui est assis sur ce banc est coupable aussi du meurtre que cette cour devra juger demain. » (p. 157). L'acharnement du procureur à accabler l'accusé et à persuader les jurés le pousse à ces falsifications du raisonnement, ici à l'**amalgame**, qui, de glissements en glissements, conduit de l'insensibilité de Meursault à l'accusation du meurtre de sa mère, le relais étant assuré par l'**assimilation avec le crime du parricide**. Suivons le fil (pp. 156 et 157) :

— le meurtre d'un père est un atroce attentat ;

— premier temps, une première manœuvre fondée sur l'équivalence du sentiment inspiré par deux délits différents opère un début d'identification de ces deux délits : le crime et l'insensibilité de Meursault inspirent une horreur égale ;

— deuxième temps, une métaphore (« tuer moralement ») assure le relais permettant une nouvelle comparaison entre les deux délits devenus ainsi tous deux meurtres : elle se fonde non plus sur un sentiment mais cette fois-ci sur l'exclusion à laquelle, par leur crime, se condamnent les deux criminels ;

— troisième temps, la phrase suivante poursuit l'identification des deux meurtres, le premier préparant les actes du second et les légitimant.

— résolution : Il suffit maintenant d'effacer les traces de la substitution, on escamote le second terme de la comparaison qui a joué son rôle de relais, on oublie que c'est une métaphore qui a permis leur comparaison, et le tour est joué : Meursault est matricide, il est « coupable aussi du meurtre que cette cour devra juger demain. » (p. 157).

Une conception mythique de la justice

La volonté polémique de Camus implique sans doute une certaine exagération. On sent sa révolte contre une justice fondée sur l'intolérance : « Mais quand il s'agit de cette cour, la vertu toute négative de la tolérance doit se muer en celle [...] de la justice. » (p. 155). Ce qui est reproché à Meursault n'est plus l'acte criminel, mais ce qu'il est : faute d'éprouver les sentiments requis par le procureur pour lui permettre de figurer parmi la « société des hommes », il est juste de l'en exclure : « [...] À la vérité, je n'en avais point, d'âme, et que rien d'humain, et pas un des principes moraux qui gardent le cœur des hommes ne m'était accessible. » (p. 155). Le procureur prêche le dogme, le modèle humain : pour être un homme, il faut pleurer à l'enterrement de sa mère, porter le deuil, exprimer le regret de son crime. En l'absence de telles preuves, l'homme est un monstre et n'a pas droit à l'existence. Une telle **conception stéréotypée de l'humanité** conduit au meurtre, à l'élimination des individus qui n'y correspondent pas.

Mais justement, l'humanité telle que le procureur la conçoit n'existe pas, elle est le mythe d'où est tiré le modèle humain auquel il fait référence. Si Meursault est condamné, c'est parce que, refusant le masque, il refuse de se convertir. Aux yeux de la société théâtrale, il est un monstre qu'il faut ostraciser*. Quelques larmes de convention, l'expression d'un facile regret auraient suffi à sauver sa tête. Mais son refus met en danger les croyances sur lesquelles se fonde tout l'édifice judiciaire et social dont le procureur est le représentant. Un criminel qui se repent rentre dans l'ordre social, mais celui qui invoque le soleil, le hasard d'une rencontre sur une plage, des forces qui nous dépassent, le nie.

DEUXIÈME PARTIE, CHAPITRE 5
(**I.** *pages 165 à 174, jusqu'à : « Cela, tout de même, était à considérer »*)

RÉSUMÉ

Meursault a réintégré sa cellule. Il refuse de recevoir l'aumônier, et se consacre à imaginer comment il pourrait se soustraire à la certitude de la mécanique qui le conduit à la mort. Savoir qu'une seule fois la roue s'est arrêtée, que le condamné a échappé à la mort, lui suffirait. Mais la mécanique le reprend, manifestant une disproportion ridicule entre son déroulement inexorable et les circonstances toutes contingentes du jugement qui l'a mise en marche. Il se souvient de son père qui avait assisté à une exécution capitale : lui libre, il irait toutes les voir. Mais l'idée de sa liberté un instant imaginée est une joie empoisonnée, intolérable. Meursault comprend qu'une toute petite chance, si infime soit-elle, suffirait à apaiser le condamné. La guillotine a cela de défectueux, mais aussi de parfait, qu'elle n'en offre aucune, pas même la consolation de monter à l'échafaud, comme en plein ciel, comme il le croyait : elle est au contraire étroite, posée à même le sol : « Là encore, la mécanique écrase tout. » Ses nuits, il les passe à l'affût du moindre bruit, le cœur prêt à éclater. C'est en effet à l'aube qu'ils viennent. Au matin, il sait qu'il a gagné vingt-quatre heures. Pour tirer le meilleur parti de son pourvoi, il s'ingénie à se convaincre, pendant le jour, que vivre est sans importance, qu'il est indifférent de mourir aujourd'hui ou demain. Lorsqu'il est parvenu à s'en persuader, il envisage alors l'éventualité d'une grâce, qui le submerge d'une joie insensée.

COMMENTAIRE

Face à la mort, les leurres de l'espoir

Meursault est condamné à mort. De retour dans sa cellule, il se trouve aux prises avec : « la seule chose vraiment intéressante pour un homme » (p. 168). L'idée maîtresse qui justifie une conception absurde de l'existence, c'est la mort, sans au-delà. Il fallait donc à Camus une condamnation à mort de son héros. Condamnés à mort, nous le sommes tous, c'est la loi de la nature. Mais l'incertitude de son heure, reléguée dans le flou d'un futur dont on élude les conséquences rétrospectives, la voilent d'irréalité. La condamnation à mort prononcée par la justice, au contraire, n'offre pas d'échappée ; elle n'autorise pas l'élision, elle est une « certitude insolente ». Meursault n'a d'autre choix que de l'affronter ; la première partie de ce chapitre (jusqu'à l'entrée de l'aumônier) retrace l'évolution du héros dans ce corps à corps.

Le texte obéit à **un mouvement alternatif**. En Meursault luttent l'**espoir** et la **raison**. Il avait triomphé de la condition qui lui était faite en prison, s'était résigné avec sagesse à la privation de toutes ses joies d'homme libre. Mais il se découvre, lors même qu'on veut l'en priver, une passion pour la vie. La terreur de mourir nourrit son imagination d'espoirs fallacieux. Pour échapper à la certitude de sa condamnation, il a d'abord recours aux faux-fuyants de la chance et du hasard, imaginant une hypothétique évasion : « J'aurais appris que dans un cas au moins, la roue s'était arrêtée » (p. 166). L'abondance de conditionnels, les subordonnées d'hypothèses soulignent l'**irréalité de son espoir** : « Si jamais je sortais de cette prison... » (p. 168). Il échafaude d'invraisemblables projets de loi, imagine qu'on administre au condamné à mort un composé chimique qui ne tue que neuf fois sur dix ;

une chance sur mille serait suffisante. Dernier expédient auquel il doit renoncer, la consolation d'une mort magnifique : « La montée vers l'échafaud, l'ascension en plein ciel, l'imagination pouvait s'y raccrocher. » (p. 171).

C'est que les séductions de l'espoir se heurtent à l'exigence de rationalité. La raison veille et, impitoyablement, inflige le démenti de la « mécanique imperturbable » aux errements de l'imagination.

L'exigence de lucidité

Le texte oscille ainsi, rythmé d'un balancement relancé à chaque nouveau motif, de la déraison à la raison, de l'espoir à l'évidence, et les cinq premiers paragraphes figurent une même variation qui, par éliminations successives, ôte à Meursault tout échappatoire. Ce mouvement est celui d'une réduction à la stricte réalité des faits : « [...] j'avais eu sur ces questions des idées qui n'étaient pas justes. » (p. 170), à une conscience exacte de sa situation. Meursault, loin de se dérober, va jusqu'à se représenter exactement telle qu'elle a lieu la « montée » à l'échafaud. On reconnaît là son exigence de lucidité. Une ultime vaine esquive : « [...] j'essayais de ne plus y penser. [...] Je faisais encore un effort pour détourner le cours de mes pensées. » (p. 171), mais ses efforts même pour s'en distraire l'y ramènent infailliblement : « Je finissais par me dire que le plus raisonnable était de ne pas me contraindre. » (p. 171). Au seuil du sixième paragraphe, toutes les fictions qui le déchargeraient du poids de sa mort sont évincées. Lui reste l'alternative du pourvoi. Il accorde alors leur part respective à l'espoir et à l'angoisse.

Dualité de la narration

Dès le début du chapitre, on constate une **modification du régime narratif**, puisque l'histoire racontée rejoint le temps de la narration, et que le **récit** se fait **au présent**. En fait, cette simultanéité est aussitôt rompue pour laisser place au récit à l'imparfait itératif*. Néanmoins, plus que partout ailleurs dans le roman, le narrateur tient à distance les événements racontés, en se manifestant constamment en tant que narrateur : par exemple (p. 172) : « Je peux dire d'ailleurs, que d'une certaine façon, j'ai eu de la chance... » ; « Je crois que j'ai tiré le meilleur parti de cette idée. » (p. 173). Le texte, par de nombreux indices, témoigne constamment de cette **prise de distance rétrospective** : « En somme », « ce qu'il y avait d'ennuyeux, de défectueux... », « j'avais tort »... Cette **dualité du texte**, sur deux plans à la fois distincts et mêlés, contribue à l'ambiguïté du ton et à la tension dramatique qui s'y fait parfois sentir.

On trouve une manifestation de cette dualité dans quelques passages où le narrateur fait de l'**humour noir** (humour = distance), en particulier à propos de l'exécution, lorsqu'il en appelle à la « collaboration morale » du condamné : « Par suite, ce qu'il y avait d'ennuyeux, c'est qu'il fallait que le condamné souhaitât le bon fonctionnement de la machine [...] C'était son intérêt que tout marchât sans accroc. » (p. 169-170). C'est aussi sur un ton détaché et qui laisse percer un amusement macabre qu'il raconte la comédie du pourvoi : « Je calculais mes effets et j'obtenais de mes réflexions le meilleur rendement. » (p. 173) ou encore : « [...] À ce moment seulement, j'avais pour ainsi dire le droit, je me donnais en quelque sorte la permission d'aborder la deuxième hypothèse » (p. 174). On a vraiment l'impression d'un jeu : Meursault semble discuter, commenter confortablement, un peu à la façon d'un comptable, des moments de désespoir.

Mais la distance n'est pas toujours tenue. Que se relâche l'empire de la raison (disparaissent alors tous les termes comme « en somme »), que s'effacent tous les signes d'un recul de la narration, l'écriture, aussitôt altérée, montre tous les stigmates stylistiques du débordement de l'espoir. Comme contre-exemple, la page 169 est une bonne illustration de ce mode d'expression détaché, tatillon, propre aux opérations intellectuelles (« en réfléchissant bien », « en considérant les choses avec calme », « dans un sens... mais dans un autre sens », « constater », « affaire classée », « combinaison », « accord entendu », « organisation », « défectueux »).

La différence de ton est grande avec l'évocation de l'évasion (voir le dynamisme rythmique conféré par la répétition : « échappé », « disparu », « rompu »), le récit des nuits passées dans l'attente de l'aube (p. 172). Une syntaxe affective (antépositions, nombreuses répétitions, insistances) renoue avec l'angoisse de ces heures, nous fait quitter la position sereine de la narration pour nous précipiter dans le récit. La phrase est concise, débarrassée de toutes ses précautions raisonnantes : « Passé minuit, j'attendais et je guettais. Jamais mon oreille n'avait perçu tant de bruits, distingué de sons si ténus. » La structure de la phrase peut aussi mimer l'attente qu'elle évoque, ajournant par une succession de compléments une résolution qui est alors ressentie comme un soulagement : « Même si .... même si .... mon cœur n'éclatait pas et j'avais encore gagné vingt-quatre heures. » (p. 172-173).

DEUXIÈME PARTIE, CHAPITRE 5
(**II.** *pages 174 à 186 : depuis « C'est à un semblable moment » ... jusqu'à la fin*)

RÉSUMÉ

Pour la première fois depuis longtemps, le souvenir de Marie se présente à l'esprit de Meursault. Elle lui est maintenant indifférente et il trouve naturel qu'on puisse l'oublier après sa mort. C'est alors que l'aumônier entre. La conversation s'engage : Meursault refusait de le recevoir parce qu'il ne croit pas, et ne s'intéresse pas à Dieu. Pourtant, devant la mort, Dieu l'aiderait. Mais il ne veut pas qu'on l'aide. Le prêtre insiste : peut-on supporter l'idée de disparaître à tout jamais ? Meursault doit se repentir, mais il répond qu'il ne sait pas ce qu'est le péché. Le prêtre l'agace, il lui demande de partir. En le quittant, celui-ci affirme son intention de prier pour lui. Alors Meursault s'emporte, saisit l'aumônier par le collet et se met à hurler qu'il a toujours eu raison de mener la vie qu'il a menée, qu'au regard de la mort, avoir fait telle ou telle chose est indifférent, que cette mort justifie sa conception de la vie, tous ses actes, tous égaux. Tous les destins se valent puisque tous les hommes sont condamnés. Le gardien les sépare et Meursault, calmé, se laisse envahir par la merveilleuse paix de cette nuit d'été. Purgé du mal et vidé d'espoir, il s'ouvre « pour la première fois à la tendre indifférence du monde. », et appelle de ses yeux, pour le jour de son exécution, les « cris de haine » de la foule.

COMMENTAIRE

La technique du récit

À partir de la page 174, une transformation se produit dans le temps du récit. De l'imparfait duratif ou itératif, on passe au **passé composé** :

73

le récit et l'intérêt se fixent sur un moment particulier, la rencontre avec l'aumônier qui, comme le dernier chapitre de la première partie, constitue le point culminant de la seconde. Jusqu'à l'explosion de colère de Meursault, on assiste, de la part de l'aumônier, à une tentative de conversion du condamné. On retrouve, pour décrire cet affrontement, les mêmes procédés stylistiques qui avaient été mis en œuvre, lors de la première partie du procès, pour en restituer l'atmosphère. C'est la description de l'attitude des corps (yeux, mains, mouvements de corps, etc) : « [...] il a relevé brusquement la tête et m'a regardé en face » (p. 176) ; « Il a détourné les yeux... » (p. 177), qui prend en charge l'expression du psychologique. Les gestes parlent d'eux-mêmes, et Meursault, psychologue infaillible, note tous ceux qui révèlent le caractère de l'aumônier, ses émotions, ses réactions face à l'obstination du héros.

Outre ce rôle psychologique, ces notations ont une fonction structurante : elles rythment les épisodes de l'échange, le délimitent. Tous les paragraphes débutent par la consignation d'un comportement significatif, soit la réaction à l'assaut précédent (« À ce moment, ses mains ont eu un geste d'agacement », (p. 177), soit la préparation du suivant (« Il s'est levé à ce mot et m'a regardé droit dans les yeux. C'est un jeu que je connaissais bien. », p. 178). Ensuite vient l'affrontement verbal, qui se solde chaque fois par un échec de l'aumônier.

Théâtre social, théâtre religieux

La cité des hommes a rejeté Meursault, qui a refusé de se soumettre à ses valeurs, et qui n'a pas trouvé à son crime un mobile appartenant au répertoire du théâtre social. Il a refusé la comédie du remords. Il est donc rejeté dans la solitude de l'exclu. Mais, refusant l'hypocrisie, il a conservé son intégrité.

Dans sa cellule, il lutte contre les séductions de l'espoir, et parvient enfin à affronter sans défaillance l'idée de sa mort. C'est là qu'intervient l'aumônier, qui représente, sur le plan religieux, **le redoublement du théâtre social**. Il lui propose le marché suivant : en échange du repentir, la paix de l'âme, l'admission dans la cité de Dieu. Il lui propose donc de se décharger du poids de cette mort qu'il a eu tant de mal à vaincre, mais cela au prix du reniement de soi (le repentir), d'une reconnaissance des valeurs religieuses, à l'opposé d'une conception absurde de l'existence.

De même qu'il l'avait fait avec le juge d'instruction, avec le procureur (représentants de la société), Camus met en évidence — cette impression devient rapidement une certitude — **l'hypocrisie** des moyens auxquels l'aumônier a recours. Lui aussi est un comédien qui maîtrise ses effets : « Mais il a relevé brusquement la tête et m'a regardé en face. » (p. 176). Il contient ses émotions — vertu au plus haut point ecclésiastique : « À ce moment ses mains ont eu un geste d'agacement, mais il s'est redressé et a arrangé les plis de sa robe. » (p. 177). On acquiert bientôt la certitude qu'il s'agit d'une nouvelle comédie : « C'est un jeu que je connaissais bien. » (p. 178). Comme le juge d'instruction qui, avec son crucifix, obtenait l'aveu et les larmes des pires criminels, l'aumônier se sert de la mort pour amener les condamnés à se convertir : « Tous ceux que j'ai connus dans votre cas se retournaient vers lui. » (p. 177). Le juge d'instruction disait déjà : « Les criminels qui sont venus devant moi ont toujours pleuré devant cette image de la douleur. »

Mais la similitude va plus loin. Tous deux perdent leur assurance devant l'obstination de Meursault : « Il parlait d'une voix inquiète et pressante. » (p. 179). Parce que les croyances qu'ils défendent se réclament de la vérité universelle d'une transcendance divine, elles se trouvent menacées par celui qui les nie. Qu'un seul homme puisse se passer de Dieu, et Dieu est remis en cause, et toutes les croyances de l'aumônier, sa vie même. Cela explique le prosélytisme* de ceux qui croient en un ordre supérieur. Et c'est aussi pour cette raison que le prêtre récupérera Meursault, à son corps défendant, en tant que créature de Dieu, en affirmant son intention de prier pour lui.

L'absurde et la religion

L'aumônier échoue dans sa tentative d'entraîner Meursault sur le terrain de Dieu : « Et justement, ce dont il me parlait ne m'intéressait pas. » (p. 177). Il en vient alors au point essentiel, la mort et la peur de la mort. Camus, par l'entremise de cet homme d'Église, présente la religion sous un jour peu favorable : au premier chef des motivations qui poussent le croyant à remettre son âme à Dieu, se trouve **la peur** : « J'avais seulement peur. [...] ''Dieu vous aiderait alors, a-t-il remarqué.'' » (p. 177) et « [...] vivez-vous avec la pensée que vous allez mourir tout entier ? [...] Il jugeait cela impossible à supporter pour un homme. » (p. 178). Le plus sûr adjuvant de la religion serait alors la lâcheté. L'aspect polémique du passage apparaît avec évidence, par l'affrontement de deux conceptions diamétralement opposées. D'un côté, un homme qui lutte pour regarder la mort en face, qui cherche à se vider d'espoir, à vivre avec courage sa peur de mourir, de l'autre, un homme qui escamote sa peur et nourrit son espoir : « N'avez-vous donc aucun espoir... » (p. 178), en faisant de la mort le temps d'une récompense.

Révolte et apaisement

Cette visite est donc l'occasion de préciser l'**athéisme fondamental** de Meursault-Camus : « Je lui ai dit que je ne savais pas ce qu'était un péché. [...] J'étais coupable, je payais, on ne pouvait rien me demander de plus. » (p. 179). Plus tard, dans *La Peste* (dernière partie) on rencontrera la même incompréhension entre le docteur Rieux et le père Paneloux.

En outre, à partir du moment où la solitude a été assumée, Dieu lui-même ne peut être d'aucun secours. Que reste-t-il ? Une vie qui n'est pas désespérée, mais qui ignore l'espoir (cf. pp. 178-179) : « Car l'espoir, au contraire de ce qu'on croit, équivaut à la résignation. Et vivre, c'est ne pas se résigner. » (Camus, *Noces*, « L'été à Alger », Gallimard, pp. 68-69). Loin de conduire à la désespérance, cette conception est en effet liée à un grand et unique **amour du monde**.

Les certitudes du prêtre ne peuvent d'abord que révolter celui qui fait profession d'athéisme. Mais, d'autre part, la **révolte** est à mettre en parallèle avec le meurtre qui clôt la première partie, car c'est **la seule réponse qui puisse délivrer de la fatalité du destin** : « J'avais eu raison, j'avais encore raison, j'avais toujours raison. [...] C'était comme si j'avais attendu pendant tout le temps cette minute et cette petite aube où je serais justifié. Rien, rien n'avait d'importance et je savais bien pourquoi. » (p. 183).

Tous condamnés, tous privilégiés : c'est toute la vie de Meursault qui, passée au crible de la justice humaine ou divine, se trouve désormais authentifiée (p. 184). Définitivement « vidé d'espoir », il peut trouver **le véritable apaisement** : « je m'ouvrais pour la première fois à la tendre indifférence du monde. » (p. 186). Enfin, pour que le bonheur soit complet, il faut lancer le dernier défi. « Il s'agit de mourir irréconcilié », écrit Camus dans *Le Mythe de Sisyphe*. C'est bien le sens des dernières lignes du texte, qui en appellent aux cris de haine de la foule.

Synthèse littéraire

LE CONTEXTE IDÉOLOGIQUE ET LITTÉRAIRE

L'héritage des années 30

Comme l'a montré Michel Raimond (*Le Roman depuis la Révolution*, Colin, 1967), le climat des années 1930, marqué par la crise économique, les tensions sociales et politiques, la montée des fascismes, a entraîné une mutation profonde du roman ; les œuvres essentielles de cette période — qui se prolongera au moins jusqu'aux années 1950 — ont en commun d'affronter une crise de la civilisation. Dès lors, c'est moins l'exploration psychologique du moi qui préoccupe les romanciers que l'interrogation sur un monde dont les valeurs vacillent : c'est **la condition humaine** qui est en jeu. Malgré la diversité des réponses apportées, les romans de Malraux, Céline, Bernanos, Julien Green, ont en commun de mettre au premier plan **une interrogation éthique** : pourquoi et comment vivre ? Incarnation d'une philosophie de l'absurde qui nie toute transcendance, *l'Étranger* de Camus se situe en droite ligne de cette problématique.

Cette interrogation sur les valeurs entraîne un renouvellement des formes littéraires elles-mêmes : plutôt que de raconter des histoires ou d'observer le réel, le roman est devenu le lieu où s'élabore **une vision du monde et des choses**. Tel est bien le cas de l'*Étranger*, où Meursault, narrateur sans visage, est avant tout un regard qui voit et donne à voir une image absurde du monde. Son « histoire » n'est rien d'autre que celle d'une conscience en mouvement puisque, vivant d'abord *dans* l'absurde, Meursault s'élèvera jusqu'à la prise de conscience de l'absurde, qu'il revendique au moment de mourir.

On sait que les discussions d'idées occupent une place importante chez Bernanos, Drieu La Rochelle et Malraux, écrivains qui, parallèlement à leur œuvre romanesque, ont tous pratiqué l'essai. Camus ne fait pas exception à la règle, qui écrit dans l'*Alger républicain* (article sur *La Nausée* de Sartre, 1938) : « Un roman n'est jamais qu'une philosophie mise en images. » En l'occurrence, l'*Étranger* apparaît moins comme une illustration que comme une version romanesque du *Mythe de Sisyphe*, paru un an plus tard : « l'essai succède au roman comme le commentaire à la donnée immédiate de la conscience. [...] Cette antériorité de l'œuvre littéraire sur l'essai témoigne de la primauté de l'image et du mot sur l'idée. » (Roger Quilliot, *La Mer et les prisons. Essai sur Albert Camus*).

Par ailleurs, si le cadre du roman n'est pas encore radicalement remis en cause, on voit déjà apparaître, au cours des années 30, certains infléchissements de la technique romanesque dont témoigne aussi l'*Étranger* :

— influence du cinéma et du roman américains, dont l'écriture s'inspire du « behaviorisme » (cf. commentaire du premier chapitre). Le langage discontinu de Meursault, qui refuse toujours d'en dire trop et se limite aux échanges vitaux, évoque par ailleurs celui des « pauvres blancs » du Sud de Caldwell, et des Noirs de Faulkner.

— plus déterminante encore est l'influence de Kafka, dont *Le Procès* a été traduit en 1933 ; comme le souligne Michel Raimond (*opus cit.*), « [...] c'est de Kafka que procède l'habitude de considérer le récit romanesque comme une sorte d'allégorie métaphysique de la condition humaine. » A cet égard, L'*Étranger* peut être lu aussi comme le récit d'un procès symbolique, au terme duquel la condamnation à mort de Meursault nous est donnée à lire comme une allégorie. Meursault, comme Joseph K., est un modeste employé de bureau, accusé d'on ne sait trop quoi (meurtre de l'Arabe ? ou indifférence à la mort de sa mère ?), et qui, comme Joseph K., restera étranger au déroulement de son procès. Dans *Le Mythe de Sisyphe* (1942) Camus déclare d'ailleurs avoir reconnu dans *Le Procès* « une œuvre absurde dans ses principes. »

La Nausée et *L'Étranger* : convergences et divergences

La prise de conscience du non-sens de l'existence humaine appelle évidemment des résonances communes chez Sartre et chez Camus, que l'on associe souvent sous l'étiquette commode d'existentialisme :

on trouve en effet, chez les deux auteurs, le même refus de tout absolu et de toute transcendance « consolatrice », la même révolte associée à la conquête de la liberté, la même foi dans l'homme et dans les valeurs de fraternité partagées dans l'ici-bas.

Reste, au-delà de ces analogies, que la sensibilité d'Albert Camus est fort différente de celle de Jean-Paul Sartre, si l'on en juge par ses commentaires de *La Nausée*. Certes, Camus apprécie fort le livre, auquel il reconnaît la vertu de « converti[r] au néant et à la lucidité » (*Alger républicain*, 12 mars 1939) : les mêmes valeurs que revendiquera Meursault au moment de sa mort, refusant l'espérance illusoire d'un au-delà promis par l'aumônier.

Mais Camus s'oppose néanmoins à l'esthétique de Sartre, à qui il reproche de trop insister sur la laideur humaine pour fonder le tragique de l'existence : « [...] le héros de M. Sartre [Roquentin] n'a peut-être pas fourni le vrai sens de son angoisse lorsqu'il insiste sur ce qui lui répugne dans l'homme, au lieu de fonder sur certaines de ses grandeurs des raisons de désespérer » (*ibid.*, 20 octobre 1938).

Pour Camus, en effet, l'*envers* de la condition humaine ne fait jamais oublier son *endroit* : au plus fort de son abandon, Meursault retrouve ses attaches, et affirme son accord avec la « tendre indifférence du monde ». Cette capacité de fusion avec la nature, souvent exprimée avec lyrisme chez Camus (cf. *Noces*, 1939) contrebalance constamment le sentiment du tragique, ou du moins lui sert d'arrière-plan. Alors que l'imagination de Sartre/Roquentin, volontiers morbide, s'englue dans les pluies de Bouville, celle de Camus/Meursault reste constamment celle d'un méditerranéen dont la vie est placée sous le signe de la mer et du soleil. De l'*Étranger*, Camus écrit : « [c'est] un mythe incarné dans la chair de la chaleur des jours. [Meursault] existe, comme une pierre, ou le vent, ou la mer sous le soleil qui eux ne mentent jamais. » (note inédite de 1954). On peut lire d'ailleurs, dans le nom même du personnage, la notion d'*envers* et d'*endroit* : Meursault, c'est le « saut dans la mort », mais aussi l'homme de la « mer » et du « soleil ».

Au demeurant, comme le souligne Roger Quilliot (*La Mer et les Prisons*), Meursault, « intelligent, mais rien moins qu'intellectuel », est une conscience brute et libre de toute hiérarchie des valeurs. Ce choix, significatif, s'oppose à celui de Sartre, qui « découvr[e] l'existence à travers Roquentin, personnage cosmopolite, cultivé et formé de longue date à l'introspection ». Au contraire, Camus exprime sa vision du monde « au travers d'une condition nue et quasiment prolétarienne », déclarant dans *Noces* : « Ce pays, je ne l'aime jamais plus qu'au milieu de ses hommes les plus pauvres. »

L'ÉTRANGER DANS L'UNIVERS DE CAMUS

Influences littéraires et investissement autobiographique

Camus aimait à dire qu'il n'écrivait que d'expérience. Sans doute, on peut percevoir dans *L'Étranger* des réminiscences littéraires assez précises (celle du poème en prose de Baudelaire, *L'Étranger*, restant probablement inconsciente) :

— les dernières pages du *Rouge et Noir*, de Stendhal, ont souvent été rapprochées de la fin de l'*Étranger* : comme Julien Sorel, c'est en prison et au moment de mourir que Meursault accède à la vérité de son être, dans laquelle il découvre une sorte de bonheur ;

— probable aussi, l'influence de Dostoïevski dont Camus avait, en 1938, adapté pour le théâtre *Les Frères Karamazov* : comme Meursault, le prince Muichkine, héros de *L'Idiot*, vit dans un perpétuel présent ; son attitude, selon l'expression même de Camus, est un mélange « de sourire et d'indifférence » (cité par Michel Raimond, *opus cit.*, p. 215).

La notion d'absurde est dans l'air du temps : *Le Désert des Tartares*, de Dino Buzzati, paraît la même année que *L'Étranger*.

Cependant, incarnation de l'homme absurde, qui exprime la sensibilité d'une époque de désarroi, Meursault est aussi un double de l'auteur, dont les *Carnets* portent en germe beaucoup de développements de *L'Étranger*. Conscient de ses affinités avec Meursault, Camus y notait (en mars 1940) : « Tout m'est étranger [...] Que fais-je ici, à quoi riment ces gestes, ces sourires ? Je ne suis pas d'ici, ni d'ailleurs non plus... » Rappelons que Meursault est en outre le pseudonyme utilisé par Camus dans l'*Alger républicain*.

De son propre aveu (préface à *L'Envers et l'Endroit*), Camus fait partie des écrivains qui viennent à la vie littéraire lestés de « deux ou trois images simples et grandes, sur lesquelles le cœur pour la première fois s'est ouvert. »

Un univers de « pauvreté et de lumière »

« Pour moi, dira plus tard Camus, je sais que ma source est dans *L'Envers et l'Endroit*, dans ce monde de pauvreté et de lumière où j'ai longtemps vécu, et dont le souvenir me préserve encore de deux dangers contraires qui menacent tout artiste, le ressentiment et la satisfaction... »

De cet univers sont notamment issues, dans *L'Étranger*, les images étranges et fantasmatiques des petits vieillards de l'asile de Marengo, qui marmonnent leurs prières au cours de la veillée funèbre ; celle du vieux Pérez, pathétique et dérisoire dans son entêtement à suivre le corbillard ; celle du vieux Salamano, lié à son chien d'une affection haineuse : autant de personnages qui traduisent la hantise de la mort, mais aussi l'amour de Camus pour ces humbles dont on remarque à peine l'existence, et dont le langage se limite au strict minimum.

Image aussi d'**une mère constamment silencieuse**, mais pourtant omniprésente dans l'univers de Camus : « [...] la mère demeure, pour Camus, plus qu'un souvenir, une conscience. D'une enfance abolie, elle est le signe inaltérable. » (Roger Quilliot, *opus cit.*). Comme le docteur Rieux, dans *La Peste*, Meursault n'a jamais su trouver les mots pour communiquer avec sa mère. Néanmoins, la force du lien affectif se dit dans le « maman » qui trahit la survivance de l'enfant dans l'adulte. Si Meursault ne semble éprouver aucun déchirement à la mort de sa mère, elle reste néanmoins présente dans sa perception de la nature, qui fait resurgir son image : « À travers les lignes de cyprès qui menaient aux collines près du ciel, cette terre rousse et verte, ces maisons rares et bien dessinées, je comprenais maman. » (I, 1). Au moment de sa mort, c'est encore la « merveilleuse paix de l'été endormi » qui ramène le souvenir de la mère : « Pour la première fois depuis bien longtemps, j'ai pensé à maman. » (II, 5).

On remarque d'ailleurs que Camus introduit dans *L'Étranger* le nom même de sa mère : Sintès, qu'il prête à Raymond, tandis que celui de sa grand-mère : Cardona, est prêté à Marie.

Univers de pauvreté, que reflète celle d'un langage réduit à l'essentiel, *L'Étranger* est aussi un univers de lumière, par l'**omniprésence du soleil qui rythme l'ouvrage** ; de son propre aveu, Camus, auteur d'un mémoire sur les rapports de l'hellénisme et du christianisme, se sentait « grec vivant dans un monde chrétien » ? Aussi, dans ce monde dépourvu de toute transcendance, la nature est néanmoins représentée comme le siège de **forces irrationnelles**, quasiment sacrées, qui dépassent l'homme et se révèlent tantôt bénéfiques, tantôt maléfiques — tel Apollon qui, pour les Anciens, était à la fois le dieu du soleil, et le dieu de la peste : « comme si les chemins familiers tracés dans les ciels d'été pouvaient mener aussi bien aux prisons qu'aux sommeils innocents », dit Meursault (II, 3).

L'« envers et l'endroit », le soleil et la nuit dans L'Étranger

C'est le soleil qui scande les principaux épisodes du récit :

— le jour où Meursault enterre sa mère, « l'éclat du ciel [est] insoutenable » (I, 1). On pressent déjà, à travers les paroles anodines de l'infirmière, à quel point ce soleil écrasant incarne **le poids de la fatalité** : « Si on va doucement, on risque une insolation. Mais si on va trop vite, on est en transpiration et on attrape un chaud et froid. » Meursault en conclut qu'en effet, « il n'y [a] pas d'issue... » ;

— c'est le même soleil qui préside au meurtre de l'Arabe et dont les « cymbales », le « glaive éclatant » et « l'épée brûlante » sont les véritables **acteurs mythiques du drame** ;

— plus implacable que jamais, le soleil reparaît encore lors du procès de Meursault, qui a lieu en plein été : « la chaleur montait et je voyais dans la salle les assistants s'éventer avec des journaux ».

Alors que le soleil, acteur du drame, s'accompagne volontiers d'images guerrières (« glaive » « épée... »), les soirs sont au contraire ressentis, à plusieurs reprises, comme des moments de « trêve mélancolique » ; c'est la même image, étroitement liée au souvenir de la mère, qui revient significativement au premier et au dernier chapitres : « Le soir, dans ce pays, devait être comme une trêve mélancolique. » (I, 1) // « Là-bas, là-bas, aussi, autour de cet asile où des vies s'éteignaient, le soir était comme une trêve mélancolique. Si près de la mort, maman devait s'y sentir libérée et prête à tout revivre. » (II, 4). Alors que le soleil du plein jour réduit la conscience à une succession d'instantanés épars, le soir au contraire marque l'éveil d'une conscience apaisée et sereine qui renoue avec ses origines lointaines et retrouve son unité : « Oui, c'était l'heure, où, il y avait bien longtemps, je me sentais content. » (II, 3). De ce retour aux sources surgit un sentiment de bonheur et de plénitude comparable à une renaissance : « Et moi aussi, je me suis senti prêt à tout revivre. » (II, 4). La dernière page du livre se referme sur une **image nocturne** : ambivalente, cette nuit qui préfigure la mort de Meursault est à la fois une fin et un commencement : « je m'ouvrais pour la première fois à la tendre indifférence du monde. » On comparera cette fin avec celle de *La Mort heureuse*, récit qui préfigure *L'Étranger*, et dont le héros (nommé également Meursault) aborde la mort avec une sérénité tragique : « A cette heure où la vie lui paraissait si loin, seul, indifférent à tout et à lui-même, il parut à Meursault qu'il avait atteint enfin ce qu'il cherchait et que cette paix qui l'emplissait était née du patient abandon de lui-même qu'il avait poursuivi et atteint avec l'aide de ce monde chaleureux qui le niait sans colère. » (cité par Roger Quilliot, *opus cit.*).

LE PERSONNAGE DE MEURSAULT

Innocence et culpabilité

Meursault nous apparaît souvent comme un enfant : comme nous l'avons vu précédemment, il dit *maman*, et non pas *mère*. Pour lui, les gens sont « gentils » (Raymond) ou « méchants » (au cours du procès). Ces indices lexicaux de la candeur du personnage sont à rapprocher de son comportement social : exempt de préjugés, et **ignorant des interdits sociaux,** Meursault semble totalement méconnaître la hiérarchie des valeurs imposées par le jeu social. On a souvent constaté comment l'écriture, qui procède par juxtapositions et coordinations, refusant ainsi la mise en valeur syntaxique des contenus, tend à établir un rapport d'égalité entre les faits relatés ; l'absence de tri au sein des menus événements qui constituent la vie du personnage tout au long de la première partie — une vie vécue sur le mode de l'absurde et de la non-signification — relève de la même idée : si tout est bon à dire, c'est que rien n'a d'importance.

On peut ainsi expliquer l'indifférence manifeste de Meursault à l'égard de l'anathème dont Raymond Sintès est l'objet : « souteneur », donc réprouvé par la société, Raymond n'est pour Meursault qu'un ami et voisin de palier, sans qu'intervienne aucun jugement de valeur moral sur son comportement. Son absence totale d'ambition ressort de la même vision du monde, puisque, dans le fond, toutes les existences se valent.

Dans cet univers nivelé, les notions de bien et de mal, de faute et de remords, semblent totalement évacuées : en tirant sur l'Arabe, Meursault n'a pas conscience de commettre un meurtre, mais plutôt de détruire « l'équilibre du jour, le silence exceptionnel d'une plage » où il a été heureux...

Cette « amoralité » de Meursault n'est pourtant pas absolue : à plusieurs reprises, on le voit s'excuser, se justifier (cf. commentaire du premier chapitre). Cet étrange **sentiment de culpabilité** semble indiquer que, même innocent, Meursault ne saurait se soustraire au regard et au jugement d'autrui : dès le début, sa mauvaise conscience le désigne comme un condamné potentiel.

Transgression et exclusion

Que l'on se souvienne de la gêne éprouvée par le concierge lorsque Meursault refuse de voir le corps de sa mère, du reproche qui lui est fait de n'avoir pas manifesté de peine à son enterrement. Sous cette gêne et cette accusation se dissimule l'aveu de l'**inadmissible** : que l'on puisse ne pas souscrire aux rites sociaux, repousser le masque d'une peine que l'on n'éprouve pas, le culte obligé à la mémoire de la mère. Meursault ne rend pas allégeance au culte formel que la société exige de ses membres, il ne joue pas le jeu.

La façon qu'a Meursault d'appeler sa mère témoigne également de son refus de socialiser la relation aux êtres : « maman », c'est le mot de l'enfant et du rapport intime. « Mère », c'est la définition formelle de cette relation, engagée dans le circuit social. On dit « maman » à sa mère, mais l'on dit « mère » en parlant d'elle aux autres.

Meursault gêne parce que **son refus démasque la fiction du mythe collectif** et l'hypocrisie des pratiques qui l'expriment : l'amour filial comme donnée humaine, et le deuil, conséquence de la perte de l'être cher. Meursault non seulement n'a pas éprouvé de peine, mais, faute plus grave, n'en a pas manifesté : **le mythe est en danger.** Cela explique la fièvre qui s'empare du juge d'instruction, et surtout de l'aumônier, qui refusent qu'on puisse ne pas croire, car leur vie n'aurait plus de sens.

Le rapport sensuel au monde

Pourtant, tout n'est pas indifférent à Meursault. Sa nature sensuelle le met en rapport intime avec le monde concret, en particulier avec le monde naturel : la mer, le ciel, la nuit. Et soudain le style se voit enlevé à la syntaxe morne du nivellement, de la non-valeur ; il accueille les échos poétiques d'une prose qui exalte l'harmonie du corps et des éléments. Il faut donc en conclure que Meursault n'est pas un indifférent absolu, mais seulement qu'il ne s'est pas approprié la valorisation sociale du monde. Il n'a pas trahi sa nature, qui est référence de toute valeur. Dans son appréciation de la valeur, c'est à elle qu'il obéit, et non pas au code social en vigueur.

DIRE CE QUI EST

Un parti-pris d'opacité

L'innocence de Meursault aux regards des règles sociales fait de lui, à certains égards, un de ces bons sauvages issus de la tradition littéraire du XVIIIe siècle, qui, déjà, projetaient sous la lumière de l'absurde les coutumes du temps. A l'exemple d'Usbek, de Candide ou de Micromégas, purs regards affranchis de la condition humaine, qui nous faisaient considérer depuis leur monde extra-humain à quoi ressemble le nôtre, Meursault voit défiler devant ses yeux les gestes vides de sens — lorsqu'on les considère de l'extérieur — des actions des hommes. A celui qui ignore les règles du jeu d'échecs, rien n'est plus absurde que le déplacement de pièces noires et blanches sur un espace quadrillé. Tout au plus peut-il décrire, ce que fait Meursault, mais il lui manque la signification des mouvements et la finalité du jeu. C'est ce qui se passe au procès : le protocole, qui pour être compris requiert une initiation, est pour lui lettre morte. C'est aussi ce qui explique la manière behaviouriste selon laquelle est relatée la sortie de l'église (Première partie, chapitre 1) : « À partir de ce moment, tout est allé très vite. Les hommes se sont avancés vers la bière avec un drap. Le prêtre, ses suivants, le directeur et moi-même sommes sortis. Devant la porte, il y avait une dame [...]. Elle a incliné sans un sourire son visage osseux et long. » (p. 25). En fait, il y a mensonge, c'est-à-dire art : la réalité est truquée, tronquée. Comme le signale Sartre (*Situations* I) **le subterfuge réside dans la conscience de Meursault** : opaque aux significations, elle ne laisse passer que les choses. Camus triche, expliquant dans cet autre texte à quelle élision il faut se plier pour concevoir l'absurde : « Autrement dit, et selon l'échelle normale des valeurs, si je me marie, j'accomplis un acte qui revêt une signification générale dans l'ordre de l'espèce, une autre dans celui de la société, une nouvelle dans celui de la religion et peut-être une dernière dans l'ordre métaphysique.

« Conclusion : à partir des valeurs communément admises, le mariage n'est pas une action insignifiante. Mais si la signification biologique, sociale, etc, lui est retirée, et c'est le cas pour les individus (coupables, j'en conviens) indifférents à ces considérations, le mariage est réellement un acte insignifiant. » (« De l'insignifiance » in : *Théâtre, récits, nouvelles*, Bibliothèque de la Pléiade, Gallimard, p. 1905).

L'économie des mots et la mise en accusation du langage

Camus a lui-même indiqué dans sa préface à l'édition américaine une interprétation de son héros : « Je voulais seulement dire que le héros du livre est condamné parce qu'il ne joue pas le jeu. En ce sens, il est étranger à la société où il vit... En quoi Meursault ne joue pas le jeu ? La réponse est simple : il refuse de mentir. Mentir, ce n'est pas seulement dire ce qui n'est pas, c'est surtout dire plus que ce qui est, en ce qui concerne le cœur humain, dire plus qu'on ne sent... Il dit ce qui est, il refuse de masquer ses sentiments et aussitôt la société se sent menacée... Loin qu'il soit privé de toute sensibilité, une passion profonde, parce que tenace, l'anime, la passion de l'absolu et de la vérité... un homme qui, sans aucune attitude héroïque, accepte de mourir pour la vérité. »

Comme Joseph Grand qui, dans *La Peste*, consacre son humble existence à trouver le « mot juste », Meursault lui aussi manifeste une extrême **méfiance vis-à-vis des mots** qui excèdent et trahissent la réalité. Refusant de parler pour ne rien dire, il est prompt à repérer, dans le langage d'autrui, les formules vides de sens : « j'ai remarqué qu'il [Masson] avait l'habitude de compléter tout ce qu'il avançait par un ''et je dirai plus'', même quand, au fond, il n'ajoutait rien au sens de sa phrase. » (I, ch. 6, p. 82). Méfiance partagée par Camus, en tant qu'écrivain. Méfiance justifiée, car Meursault s'avère doublement **victime du langage** :

— en refusant de dire « plus que ce qui est », en s'en tenant à la stricte vérité, il suscite le scandale : « Sans doute, j'aimais bien maman, mais cela ne voulait rien dire. Tous les êtres sains avaient plus ou moins souhaité la mort de ceux qu'ils aimaient. Ici, l'avocat m'a coupé et a paru très agité. Il m'a fait promettre de ne pas dire cela à l'audience, ni chez le magistrat instructeur. » (II, 1) ;

— à l'inverse, reconstituée par le langage théâtral de la justice, sa vie, méconnaissable ne lui appartient plus : Meursault qui n'a tué qu'« à cause du soleil », se retrouve en définitive coupable d'avoir « enterré sa mère avec un cœur de criminel » et par une série de glissements sémantiques pervers, coupable de « parricide » (voir commentaire du chapitre 3, deuxième partie).

Aussi sûrement que le couperet de la guillotine, c'est le pouvoir redoutable de la rhétorique judiciaire qui tue Meursault.

LE STYLE

C'est le style de *L'Étranger* qui fait l'originalité de l'œuvre. Contentons-nous d'en rappeler les éléments les plus originaux.

Le passé composé

Si l'on accepte la fiction littéraire d'un Meursault narrateur, ce roman devient une autobiographie. Un style trop littéraire en altérerait la spontanéité, l'emploi d'un temps parlé nous indique ce souci de vraisemblance narrative. De tradition, le passé simple est le temps du récit au passé, il est signe de l'artifice littéraire. Le passé composé, en revanche, est le temps de l'oralité, il nie la littérature en faveur de la réalité. Associé à la première personne, il nous plonge dans une action vécue. Mais aussi, il isole, il fige le procès, le coupe de toute relation antérieure ou ultérieure avec d'autres procès : « le directeur s'est levé... » : la phrase est inerte, sans dynamisme, elle se referme sur elle-même. Le directeur se leva : la phrase s'ouvre, installe le procès dans une relation avec d'autres procès, réclame une résolution poursuivie dans d'autres actions.

La phrase

Elle est, dans la première partie, le plus souvent indépendante, construite presque toujours sur le même modèle, ce qui accentue l'impression de monotonie. On a déjà vu comment un régime syntaxique unique abolissait toute valorisation des contenus, en les égalisant tous. Aucun pont n'étant jeté d'une phrase à l'autre, les phrases s'enchaînent comme des wagons, progressent en pointillés. L'organisation, autant interne (syntaxe complexe) qu'externe leur est refusée. Il s'agit de plonger le lecteur dans un monde inhabité, un monde où ne se décèle aucune pensée organisatrice. Autant que celle du temps, l'écriture opère la fragmentation de l'espace : elle est analytique. L'homme se retire, et privé de pensée, le monde retourne au chaos de l'absurde.

Le lexique

Tous les commentateurs ont constaté la simplicité du vocabulaire, l'abondance des termes génériques, comme *faire, aller*, la neutralité des expressions comme « il y a ». Le vocabulaire se tient ainsi sur la même réserve que la syntaxe. Neutre, pauvre, discret, le plus incolore et le plus transparent possible, il marque le souci de proscrire tout bavardage, et nous mène aux choses en silence. Il est à l'opposé d'une langue qui s'exhibe en tant que langage : il s'efface devant ce qu'il montre, livre un monde brut.

En plusieurs endroits, cependant, le ton s'élève, les mots se colorent, la phrase s'amplifie, s'allonge et se ramifie. Les accumulations la rythment, les images l'envahissent : signe d'un émoi de Meursault ou d'un état particulier de sa conscience. L'altération du style sort le monde de l'indifférenciation.

SIGNIFICATION ET STRUCTURE DU ROMAN

La « nudité de l'homme en face de l'absurde »

Nous allons ici envisager le roman à la lumière du *Mythe de Sisyphe*. La lecture de la première partie de *L'Étranger* laisse au lecteur une impression indéfinissable, liée à l'ambiguïté de ce personnage et narrateur dont l'expérience du monde est pour le moins étrange. Dérouter, voilà le but que se propose Camus. On a reconnu en Meursault un innocent. Sa conscience, non corrompue par les contrefaçons de la société, est une pure transparence : elle laisse voir le monde sans l'homme. Le sentiment éprouvé à la lecture résulte de la rencontre entre un lecteur nourri des illusions de sa vision sociale et un monde dépouillé de ces illusions. Camus a levé le décor, il nous place devant ce que l'habitude nous empêche de voir : « la divine équivalence de toutes choses ». Ce décalage, c'est proprement le sentiment de l'absurde, une fracture entre le monde et l'esprit : « Ce qui est absurde, c'est la confrontation de cet irrationnel [l'univers et ses lois] et ce désir de clarté dont l'appel résonne au plus profond de l'homme [...] Un monde que l'on peut expliquer, même avec de mauvaises raisons, est un monde familier. Mais au contraire, dans un univers soudain privé d'illusions et de lumières, l'homme se sent un étranger. Ce divorce entre l'homme et sa vie, l'acteur et son décor, c'est proprement le sentiment de l'absurdité. » (*Le Mythe de Sisyphe*). Par l'artifice du *je* romanesque, nous avons été Meursault, et le monde nous est apparu tel qu'il apparaît à l'homme absurde. « Au fond de toute beauté gît quelque chose d'inhumain et ces collines [...] perdent le sens illusoire dont nous les revêtions [...] Pour une seconde nous ne le [le monde] comprenons plus, puisque pendant des siècles nous n'avons compris en lui que les figures et les dessins que préalablement nous y mettions [...] Le monde nous échappe puisqu'il redevient lui-même. »

La composition du roman

Camus nous avertit lui-même que « le sens du livre tient exactement dans le parallélisme des deux parties. » En quoi y-a-t-il parallélisme ? Dans la deuxième partie, il est question également de la vie de Meursault, mais cette fois-ci, non plus de la vie telle qu'elle a été vécue, mais de la vie parlée, de la vie reconstruite par le langage des hommes. Armée de sa raison, de l'attirail de ses mythes et de ses valeurs, la société théâtrale juge Meursault : elle le transcrit dans les termes de son propre mythe, reconstruit une vie où elle découvre alors le signe d'une monstrueuse préméditation. À chacun des gestes de Meursault est attribuée une signification : sous nos yeux s'élabore un « personnage » (au sens théâtral du terme) aux antipodes de celui que nous connaissions : voilà que les hommes, dans la folle illusion de rationaliser un monde qui n'obéit pas aux lois de la raison, ont fait de Meursault une nouvelle fiction, construite sur du vide.

La deuxième partie consacre ainsi l'échec de la pensée, « l'impuissance où nous sommes de penser avec nos concepts, avec nos mots, les événements du monde. » (Sartre, *Situation* I). Vu sous cet aspect, le roman est une démonstration ; c'est l'œuvre d'un moraliste. Tout au long de ses livres, Camus n'a de cesse d'appeler à la lucidité, d'en tirer les conséquences. *L'Étranger* nous a montré la tricherie « de ceux qui vivent non pour la vie elle-même, mais pour quelque grande idée qui la dépasse, la sublime, lui donne un sens et la trahit. » « On peut poser en principe que pour un homme qui ne triche pas, ce qu'il croit vrai doit régler son action. La croyance dans l'absurdité de l'existence doit donc régler sa conduite. » Voilà Meursault, un homme, qui, sans attitude héroïque, a toujours vécu selon les normes de l'absurde. Ce n'est que devant l'imminence de la mort — et ce ne sont pas les hommes qui l'ont condamné à mort, car la condamnation à mort est le fait de la nature — qu'il prend conscience qu'il a toujours eu raison, que c'est justement sa mort qui donne sens à la vie absurde qu'il a toujours menée.

Lexique

POUR LE COMMENTAIRE

Aliénation : au sens juridique, transmission d'une propriété ou d'un droit ; au sens médical, trouble mental qui rend l'individu étranger à lui-même et à la société ; au sens philosophique, celui du texte, état de l'individu qui se voit dépossédé de lui-même et de sa liberté, au point d'être traité comme une chose.

Behaviorisme : de l'anglais *behavior* : « comportement » ; théorie psychologique américaine qui étudie le comportement de manière expérimentale, sans jamais recourir à l'introspection ni à la psychologie profonde ; dans l'écriture, le behaviorisme consiste à décrire de l'extérieur, avec l'objectivité d'une caméra, le comportement des personnages.

Catégories du discours : elles reposent sur la distinction entre discours/ou style direct, discours indirect, et discours indirect libre.

Connecteur : mot qui permet de transformer deux phrases simples juxtaposées en une seule phrase dont les éléments sont hiérarchisés par la subordination.

Connotation : par opposition à la *dénotation*, c'est-à-dire la définition non-subjective et invariable d'un mot pour la même communauté linguistique, la *connotation* recouvre toutes les significations particulières que peut prendre ce mot selon la situation, le contexte, ainsi que les valeurs affectives et émotionnelles qu'il fait naître.

Dialectique : ensemble des moyens mis en œuvre dans la discussion pour argumenter et emporter la conviction ; d'après Hegel, mode de pensée qui permet de dépasser les contradictions apparentes (thèse et antithèse) pour les unir dans une catégorie supérieure (synthèse).

Énonciateur : sujet de l'*énonciation*, c'est-à-dire de la production d'une phrase dans des circonstances de communication données, dont l'*énoncé* porte les marques linguistiques.

Focalisation : selon la perspective adoptée par le narrateur, on distingue trois types de focalisation :
— focalisation externe : le foyer est extérieur à la réalité décrite, le narrateur en sait moins que ses personnages.
— focalisation interne : le point de vue de la description ou de la narration est placé dans un personnage témoin dont le lecteur épouse le regard.
— focalisation zéro : la réalité est présentée sous plusieurs angles à la fois ; le narrateur est omniscient, il sait ce que les personnages ignorent.

Hyperbole : figure de style consistant à mettre en relief une idée au moyen d'une expression qui la dépasse (contraire de *litote*).

Itératif : qui marque la répétition (se dit par exemple de l'imparfait qui traduit la répétition dans le passé).

Ostraciser : du grec *ostrakon* : « coquillage » ; bannir, exclure de la communauté sociale (à l'origine, l'ostracisme désignait un bannissement de dix ans prononcé à la suite d'un jugement du peuple dans les cités grecques ; les sentences étant notées sur un morceau de poterie appelé *ostrakon*).

Prosélytisme : zèle déployé pour répandre la foi, et, par extension, pour recruter de nouveaux adeptes.

Rhétorique : art de bien parler ; technique de la mise en œuvre des moyens d'expression (composition et figures de style).

Quelques citations

LA VIE ABSURDE

L'indifférence de Meursault

« Un moment après, elle [Marie] m'a demandé si je l'aimais. Je lui ai répondu que cela ne voulait rien dire, mais qu'il me semblait que non. Elle a eu l'air triste. » (I, ch. 4, p. 59).

« Il [mon patron] m'a demandé alors si je n'étais pas intéressé par un changement de vie. J'ai répondu qu'on ne changeait jamais de vie, qu'en tout cas toutes se valaient et que la mienne ici ne me déplaisait pas du tout. » (I, ch. 5, p. 68).

« Il [Raymond] m'a demandé encore si je voulais être son copain. J'ai dit que ça m'était égal : il a eu l'air content. » (I, ch. 3, p. 49).

L'ennui de vivre

« Après le déjeuner, je me suis ennuyé un peu et j'ai erré dans l'appartement. [...] J'ai pensé que c'était toujours un dimanche de tiré, que maman était maintenant enterrée, que j'allais reprendre mon travail et que, somme toute, il n'y avait rien de changé. » (I, ch. 1, pp. 36 à 41).

« Il [Salamano] m'ennuyait un peu, mais je n'avais rien à faire et je n'avais pas sommeil. Pour dire quelque chose, je l'ai interrogé sur son chien. » (I, ch. 5, p. 73).

« À part ces ennuis, je n'étais pas trop malheureux. Toute la question, encore une fois, était de tuer le temps. » (II, 2, p. 122).

Les rituels

« Alors, ils restent tous les deux sur le trottoir et ils se regardent, le chien avec terreur, l'homme avec haine. C'est ainsi tous les jours. [...] Il y a huit ans que cela dure. » (I, ch. 3, p. 46).

« Il [Salamano] n'avait pas été heureux avec sa femme, mais, dans l'ensemble, il s'était bien habitué à elle. » (I. ch. 5, p. 74).

L'incommunicabilité

« D'ailleurs, ai-je ajouté, il y avait longtemps qu'elle [maman] n'avait rien à me dire et qu'elle s'ennuyait toute seule. » (I, ch. 5, p. 75).

« Déjà collée contre la grille, elle [Marie] me souriait de toutes ses forces. Je l'ai trouvée très belle, mais je n'ai pas su le lui dire. [...] Elle a crié de nouveau : « Tu sortiras et on se mariera ! » J'ai répondu : « Tu crois ? » mais c'était surtout pour dire quelque chose. » (II, ch. 2, pp. 116-117).

« Le président a répondu [...] qu'il serait heureux [...] de me faire préciser les motifs de mon acte. J'ai dit rapidement, en mêlant un peu les mots et en me rendant compte de mon ridicule, que c'était à cause du soleil. Il y a eu des rires dans la salle. » (II, ch. 4, p. 158).

LA SATIRE DES INSTITUTIONS SOCIALES

La famille
« C'étaient d'abord des familles allant en promenade, deux petits garçons en costume marin, la culotte au-dessous du genou, un peu empêtrés dans leurs vêtements raides, et une petite fille avec un gros nœud rose et des souliers vernis. Derrière eux, une mère énorme, en robe de soie marron, et le père, un petit homme assez frêle que je connais de vue. Il avait un canotier, un nœud papillon et une canne à la main. En le voyant avec sa femme, j'ai compris pourquoi dans le quartier on disait de lui qu'il était distingué. » (I, ch. 2, p. 37).

La justice
« Sans transition, il [le juge] m'a demandé si j'aimais maman. J'ai dit : ''Oui, comme tout le monde'', et le greffier, qui jusqu'ici tapait régulièrement sur sa machine, a dû se tromper de touches, car il s'est embarrassé et a été obligé de revenir en arrière. » (II, ch. 1, p. 105)

« L'avocat levait les bras et plaidait coupable, mais avec excuses. Le procureur tendait ses mains et dénonçait la culpabilité, mais sans excuses. » (II, ch. 4, p. 151).

« [...] j'ai essayé d'écouter encore parce que le procureur s'est mis à parler de mon âme. Il disait qu'il s'était penché sur elle et qu'il n'avait rien trouvé, messieurs les jurés. » (II, ch. 4, p. 155)

La religion
« [Le juge] m'a exhorté une dernière fois, dressé de toute sa hauteur, en me demandant si je croyais en Dieu. J'ai répondu que non. Il s'est

assis avec indignation. Il m'a dit que c'était impossible, que tous les hommes croyaient en Dieu, même ceux qui se détournaient de son visage. C'était là sa conviction et, s'il devait jamais en douter, sa vie n'aurait plus de sens. ''Voulez-vous, s'est-il exclamé, que ma vie n'ait pas de sens ?'' À mon avis, cela ne me regardait pas et je le lui ai dit. » (II, ch. 1, p. 108).

L'AMOUR DE LA VIE

La nature et le désir

« J'avais tout le ciel dans les yeux et il était bleu et doré. Sous ma nuque, je sentais le ventre de Marie battre doucement. Nous sommes restés longtemps sur la bouée, à moitié endormis. » (I, ch. 2, p. 34)

« Hier, c'était samedi et Marie est venue, comme nous en étions convenus. J'ai eu très envie d'elle parce qu'elle avait une belle robe à raies rouges et blanches et des sandales de cuir. On devinait ses seins durs et le brun du soleil lui faisait un visage de fleur ». (I, ch. 4, p. 57).

« J'avais laissé ma fenêtre ouverte et c'était bon de sentir la nuit d'été couler sur nos corps bruns. » (I, ch. 4, p. 58).

La nostalgie du bonheur

« Dans l'obscurité de ma prison roulante, j'ai retrouvé un à un, comme du fond de ma fatigue, tous les bruits familiers d'une ville que j'aimais et d'une certaine heure où il m'arrivait de me sentir content. Le cri des vendeurs de journaux dans l'air déjà détendu, les derniers oiseaux dans le square, l'appel des marchands de sandwiches, la plainte des tramways dans les hauts tournants de la ville et cette rumeur du ciel avant que la nuit bascule sur le port, tout cela recomposait pour moi un itinéraire d'aveugle, que je connaissais bien avant d'entrer en prison. » (II, ch. 3, pp. 148-149).

Jugements critiques

ÉCLAIRAGES DE CAMUS SUR *L'ÉTRANGER*

« *L'Étranger* décrit la nudité de l'homme en face de l'absurde. » (*Carnets*, II, éd. Gallimard, p. 36).

« *La Peste* a un sens social et un sens métaphysique. C'est exactement le même. Cette ambiguïté est aussi celle de *L'Étranger*. » (*ibid.*, p. 50).

« Dès l'instant où l'on dit que tout est non-sens, on exprime quelque chose qui a du sens. Refuser toute signification au monde revient à supprimer tout jugement de valeur. Mais vivre, et par exemple se nourrir, est en soi un jugement de valeur. On choisit de durer dès l'instant qu'on ne se laisse pas mourir, et l'on reconnaît alors une valeur, au moins relative, à la vie. Que signifie enfin une littérature désespérée ? Le désespoir est silencieux. Le silence même, au demeurant, garde un sens si les yeux parlent. Le vrai désespoir est agonie, tombeau ou abîme. S'il parle, s'il raisonne, s'il écrit surtout, aussitôt le frère nous tend la main, l'arbre est justifié, l'amour naît. Une littérature désespérée est une contradiction dans les termes. »

L'Été, « Énigme », © éd. Gallimard, 1954.

REGARDS DE LA CRITIQUE

Une lecture de L'Étranger *par Jean-Paul Sartre : « La grâce de l'absurde »* :

« On voit donc qu'on ne saurait négliger le côté théorique du caractère de Meursault. De même beaucoup de ses aventures ont pour principale raison de mettre en relief tel ou tel aspect de l'absurdité fondamentale. Par exemple, nous l'avons vu, *Le Mythe de Sisyphe* vante la ''disponibilité parfaite du condamné à mort devant qui s'ouvrent les portes de la prison par une certaine petite aube'' — et c'est pour nous faire jouir de cette aube et de cette disponibilité que M. Camus a condamné son héros à la peine capitale. ''Comment n'avais-je pas vu, lui fait-il dire, que rien n'était plus important qu'une exécution... et, qu'en un sens c'était même la seule chose vraiment intéressante pour un homme !''. On pourrait multiplier les exemples et les citations. Pourtant cet homme lucide, indifférent, taciturne, n'est pas entièrement construit pour les besoins de la cause. Sans doute le caractère une fois ébauché s'est-il terminé tout seul, le personnage avait sans doute une lourdeur propre. Toujours est-il que son absurdité ne nous paraît pas conquise mais donnée : il est comme ça, voilà tout. Il aura son illumination à la dernière page, mais il vivait depuis toujours selon les normes de M. Camus. S'il y avait une grâce de l'absurde, il faudrait dire qu'il a la grâce. »

Jean-Paul Sartre, « Explication de l'*Étranger* », *Situations* I, © éd. Gallimard, NRF (article de février 1943 publié en 1947).

Sur le contexte idéologique :

« Et pourtant, dès la parution du livre, le public ne s'y trompa pas. Il n'écouta pas, bien entendu, ce chroniqueur vichyste qui parlait de ''veulerie'', de ''démission humaine'', mais il ne pensa pas non plus, comme Jean Guéhenno, que la démonstration de l'absurde était inutile. Car L'*Étranger*, sans qu'une seule ligne du texte prît de précautions à cet égard, ne venait pas ''suppléer à la révolte'', mais au contraire la susciter et l'affermir. En pleine France vichyssoise, livrée à un activisme optimiste et dérisoire, L'*Étranger* offrait l'indispensable, le constat de base, le tremplin solide d'une action. Nous savions que nous avions affaire — enfin ! — à une littérature adulte et que, parmi les écrivains engagés dans la lutte et soumis alors à une semi-clandestinité, Malraux, Mauriac, Sartre, ce nouveau venu, si évidemment courageux et responsable, n'avait créé un héros tragique que pour aider les hommes à vaincre leur destin. C'est la grandeur du stoïcisme ; et nul ne prévoyait alors que si peu de temps après la victoire — ou ce qu'on appellerait ainsi — certains réclameraient le bûcher pour de telles œuvres dans leur hâte à retrouver, de droite ou de gauche, fascistes ou marxistes, les catéchismes mensongers. »

Morvan Lebesque, *Camus par lui-même*, © éd. du Seuil, coll. « Écrivains de toujours », 1963.

Le sentiment de l'absurde, analysé par Gaetan Picon :

« Le sentiment de l'absurde naît du conflit entre notre volonté subjective de vie valable et d'univers rationnel — et la réalité objective d'un monde et d'une vie irréductibles à cette exigence. Comment se sentir concerné par une réalité à ce point aveugle à nos désirs profonds ? On glisse hors de soi, on devient indifférent, étranger à soi-même : tel est Meursault. Il ne se tue pas, cependant : il se laisse condamner à mort. Où donc a-t-il puisé l'énergie de vivre ? Où la puisons-nous nous-mêmes, hommes absurdes dans un monde absurde ? C'est à ces questions que répond *Le Mythe de Sisyphe*. Sans quitter le terrain de l'absurde, il y a une existence possible et, peut-on dire, une morale. Mais cette morale n'aura de sens que si elle se refuse à omettre la donnée essentielle : l'absurde —, que si elle rejette les élisions : le suicide, la croyance religieuse, l'espoir. La valeur suprême est la lucidité : il y a un héroïsme à vivre en pleine conscience, à affronter l'absurde en pleine lumière. »

Gaetan Picon, *Panorama de la nouvelle littérature française*,
© éd. Gallimard, N.R.F., 1949.

Sur l'écriture de L'Étranger *:*

« Nul ne s'attendait à lire un roman américain écrit par un Français. Un pastiche, peut-être bien, mais *L'Étranger* n'était pas un pastiche. Dans une interview faite après la guerre, Camus allait admettre qu'il avait utilisé dans ce livre certaines techniques américaines parce qu'elles servaient son dessein de décrire un homme ''sans conscience apparente'', mais il craignait que la généralisation de ce procédé n'en vînt à créer ''un univers d'automates et d'instincts'' susceptible d'appauvrir le roman. Il déclarait en 1945 qu'il aurait donné cent Hemingway pour un Stendhal ou un Benjamin Constant. »

H.R. Lottman, *Albert Camus*, © éd. du Seuil, 1985.

Plans et sujets de travaux

COMMENTAIRE COMPOSÉ

Première partie, chapitre 5, pp. 69-70, depuis : « Le soir, Marie est venue... » jusqu'à : «... dès qu'elle le voudrait. »

Introduction

Marie qui est depuis peu la maîtresse de Meursault, exprime dans ce passage le désir de l'épouser. C'est l'occasion d'une confrontation de deux conceptions de la vie.

I. Une écriture désincarnée

a. La phrase : caractérisée par sa brièveté, et par la platitude syntaxique. Hormis les hypothétiques, il n'y a de subordonnées que celles impliquées par le style indirect. La coordination domine, c'est-à-dire qu'il n'y a ni construction, ni explication, ni hiérarchisation des contenus, comme s'il n'y avait pas de conscience à l'origine de ces phrases.

b. L'évidement sémantique : neutralité et généralité du vocabulaire. Meursault n'emploie qu'un substantif, surtout des pronoms, des adverbes élémentaires comme « oui », « non » « naturellement », des verbes passe-partout comme « faire », « vouloir » : aucune marque de l'affectivité du narrateur, aucun terme dont la coloration pourrait suggérer de sa part une prise de position.

c. Le style indirect : platitude de la présentation des paroles au style indirect, qui domine. Il désincarne les paroles, leur retire toute affectivité, toute humanité, les dédramatise, comme si ce n'étaient que des mots, sans êtres qui les prononcent. C'est la présentation la plus froide qu'on puisse imaginer.

Conclusion : L'écriture n'intervient pas sur les choses, ne cherche pas à prendre possession du monde, mais laisse subsister son étrangeté.

II. Le degré zéro de la conscience

a. Indifférence et équivalence : « ... cela m'était égal... », une expression clé du personnage. Les choses, les êtres, sont interchangeables : « … la même proposition venant d'une autre femme… ». Cette indifférenciation conduit à la passivité. C'est Marie qui prend l'initiative (elle pose les questions, elle agit), alors que Meursault se contente de répondre, d'accepter le mariage, parce qu'elle le veut.

b. La négation : Meursault est un personnage dessiné négativement ; on ne connaît de lui que son indifférence aux jugements de valeur, exprimée sous une forme toujours négative : « cela ne signifiait rien », « sans doute je ne l'aimais pas », « cela n'avait aucune importance »… Meursault rejette tout dans le néant : le mariage, l'amour, les différences.

c. Le narrateur : malgré le *je* qui devrait permettre l'exploration de l'intimité. Meursault narrateur tient à distance Meursault héros, comme s'il s'agissait d'une autre personne : paradoxalement, le lecteur est dérouté par l'opacité du héros dont la vie intérieure reste secrète.

III. Solitude et accord des êtres

a. Deux êtres, plutôt qu'un couple : Le texte est construit sur l'opposition « je », « elle », le plus souvent séparés par le verbe. Le « nous » marquant l'union n'apparaît qu'à la fin du passage, suggérant un accord possible, croirait-on ; mais c'est pour renvoyer le destin du couple à la décision de Marie : « j'ai répondu que nous le ferions dès qu'elle le voudrait ».

b. Incompréhension et silence : le monde et les croyances de Marie sont réduits à néant par Meursault. Elle ne le comprend pas, il est bizarre. L'incommunicabilité conduit au silence, omniprésent dans le texte : « elle s'est tue et m'a regardé en silence ». C'est lui qui l'emporte sur la parole frappée d'inanité.

Mais le silence ne traduit l'incommunicabilité que sur le plan de la parole. Il y a un accord possible quand Marie renonce à comprendre (Meursault, lui, n'éprouve pas le besoin de parler, il ne fait que répondre aux questions et au monde) : elle sourit et lui prend le bras.

Conclusion

Le texte utilise les procédés d'écriture propres à toute la première partie du roman. Son intérêt spécifique est plutôt celui d'une confrontation qui oblige Meursault à se révéler, puisque Marie le harcèle de questions. Il dit alors explicitement ce que son attitude laissait pres-

sentir. Ainsi le passage, recourant au contraste de deux attitudes opposées, a-t-il surtout pour fonction de préciser le caractère du héros, et
sa vision du monde.

COMPOSITION FRANÇAISE

Commenter cette phrase extraite des *Carnets* de Camus : « *L'Étranger* décrit la nudité de l'homme en face de l'absurde. »

Introduction

Le XVIIIe siècle abat les idoles, et le XXe siècle découvre l'angoisse
d'un monde abandonné des dieux. Sans catéchismes trompeurs, sans
le secours d'une transcendance ou d'un ordre supérieur, l'homme se
retrouve désarmé : il est seul et doit assumer sa solitude dans une vie
désertée par le sens. Le commentaire de Camus fait du roman la rencontre de l'homme et de l'absurde : il convient donc en premier lieu
d'étudier la présence de l'absurde dans *L'Étranger*. On peut ensuite
envisager en quoi dans ce roman, l'homme est démuni face à l'absurde.

I. L'absurde dans *L'Étranger*

L'absurde, tel que le définit Camus, consiste dans le divorce entre
les aspirations de l'homme (rationalisme, soif de bonheur, désir
d'immortalité, etc) et le monde. Les pôles de l'absurde seront donc
le hasard, la souffrance, la mort, la vie privée de sens.

On peut montrer comment le regard de Meursault narrateur fait naître chez le lecteur le sentiment de l'absurde : le récit gomme les significations, ignore la valorisation du monde, visant en fait à nous montrer
un monde brut, ni pensé ni organisé par l'homme.

II. La nudité de l'homme face à l'absurde

Cette nudité se traduit d'abord par l'insignifiance de la vie. Pour celui
qui ne croit en rien, toutes les expériences sont égales, indifférentes.
Meursault incarne par excellence l'homme sans espoir, sans ambition,
sans exaltation. Les engouements des autres hommes lui sont incon-

nus. Sa vie est morne, vécue au jour le jour, sans but. On peut étudie
comment le dépouillement du style, sa platitude sémantique et syntaxi
que contribuent à refléter la « nudité » de cette vie absurde.

La nudité, c'est aussi l'homme désarmé devant un monde que sa
pensée est impuissante à saisir. À cet égard, le roman est une démonstration : le procès qui tente de reconstituer la vie de Meursault est ur
échec (confrontation des première et seconde parties), preuve de la
faiblesse de l'esprit humain, et de la folie qui consiste à vouloir expliquer un monde absurde. La pensée est donc inepte. On peut aussi évo-
quer l'attitude de Meursault (autant personnage que narrateur) envers
le langage : refus des abstractions, des mots qui n'ont pas de sens
(« amour »), et surtout son silence insistant qui proclame l'inutilité et
l'illusion des mots.

III. La prise de conscience de l'absurde

Pourtant, la vision du monde qui émane de L'Étranger n'est pas entièrement nihiliste.

Meursault, on l'a vu, est profondément différent du héros de La Nausée, Roquentin. Indifférent aux valeurs qui régissent la vie sociale, il
vit pourtant en accord avec la « tendre indifférence du monde » : sa
sensualité, sa disponibilité aux sensations offertes par l'instant présent
le préservent du désespoir absolu. D'ailleurs, l'évocation presque lyri-
que des éléments : la mer, le soleil (cf. commentaire sur le nom de
Meursault) échappe à l'atonie générale du style.

Mais surtout, L'Étranger retrace un itinéraire spirituel : celui d'un
homme qui, vivant d'abord *dans* l'absurde (1re partie) accède à une
véritable humanité par sa prise de conscience *de* l'absurde (2e partie)
et par sa révolte qui lui fait refuser l'espoir illusoire d'un au-delà ; à
la révolte succède la sérénité (cf. dernier chapitre). La mort de Meursault est en définitive une « mort heureuse », puisqu'elle lui révèle le
prix et la valeur de la vie dans le refus de toute transcendance.

Conclusion

Le roman décrit bien l'abandon de l'homme dans un monde privé
d'illusions et d'espoir. Cependant, cette nudité de l'homme jeté dans
l'absurde et voué à la mort ne conduit pas au désespoir, mais au contraire à la prise de conscience de la valeur de la vie. Devant la mort,
Meursault découvre son amour pour elle.

SUJETS DE COMPOSITIONS FRANÇAISES

— Morvan Lebesque (dans *Camus par lui-même*, coll. « Écrivains de toujours ») parle à propos de la leçon de *L'Étranger* d'un « pessimisme plein d'espoir. » Qu'en pensez-vous ?

— Sartre écrit dans *Situations* I :

« Il n'est pas un détail inutile, pas un qui ne soit repris par la suite et versé au débat ; et le livre fermé, nous comprenons qu'il ne pouvait pas commencer autrement, qu'il ne pouvait pas avoir une autre fin ».

SUJETS D'EXPOSÉS

Questions d'ensemble
— Fatigue, ennui et indifférence dans *L'Étranger*.
— L'humour et l'ironie.
— Le rôle du silence.
— L'Algérie dans *L'Étranger*.
— Dans quelle mesure *L'Étranger* est-il un roman initiatique ?
— Le rôle des éléments naturels (soleil, ciel, mer).
— La peinture de l'univers de la justice.
— Solitude et incommunicabilité dans *L'Étranger*.
— En quoi *L'Étranger* peut-il être considéré comme une tragédie moderne ?
— Meursault est-il un anti-héros ?

Comparaisons de textes
— La vie absurde dans *L'Étranger* et dans le *Mythe de Sisyphe*.
— Le thème de la culpabilité dans *L'Étranger* et dans *La Chute*.
— L'Algérie dans *L'Étranger* et dans *La Peste*.
— Parentés et divergences entre Meursault, dans *L'Étranger*, et le docteur Rieux, dans *La Peste*.
— La remise en question du langage dans *L'Étranger* et dans *La Peste*.
— Comparez la vision de l'absurde dans *L'Étranger* et dans *Le Désert des Tartares*, de Dino Buzzati (paru la même année).
— Comparez la mort de Julien Sorel, dans *Le Rouge et Le Noir*, et celle de Meursault dans *L'Étranger*.

Index thématique

ANNEXES

Bibliographie essentielle

Études sur Camus

Jean-Claude Brisville, *Camus*, éd. Gallimard, coll « Bibliothèque idéale », 1959.

Alain Costes, *Albert Camus ou la parole manquante*, éd. Payot, 1973.

Paul A. Fortier, *Une lecture de Camus : la valeur des éléments descriptifs dans l'œuvre romanesque*, éd. Klincksieck, 1977.

P. Gaillard, *Albert Camus*, éd. Bordas, 1973.

P. Ginestier, *Pour connaître la pensée de Camus*, éd. Bordas, 1964.

Jean Grenier, *Albert Camus*, éd. Gallimard, 1968.

Morvan Lebesque, *Camus par lui-même*, éd. du Seuil, coll. « Écrivains de toujours », 1963.

Herbert R. Lottman, *Albert Camus,* éd. du Seuil, 1978.

Joseph Majault, *Camus ; révolte et liberté*, éd. du Centurion, 1973.

André Nicolas, *Camus*, éd. Seghers, coll. « Philosophes de tous les temps », 1966.

Roger Quilliot, *La Mer et les prisons. Essai sur Albert Camus*, éd. Gallimard, N.R.F., 1970 ; *Camus, une philosophie de l'existence*, éd. P.U.F., 1964.

Ruth Reichelberg, *Albert Camus, une approche du sacré*, éd. Nizet, 1983.

Pierre V. Zima, *L'Indifférence romanesque (Sartre, Moravia, Camus)*, éd. du Sycomore, 1982.

Études sur *L'Étranger*

M.G. Barrier, *L'Art du récit dans* L'Étranger *d'Albert Camus*, éd. Nizet, 1966.

P.G. Castex, *Albert Camus et* l'Étranger, éd. Costi, 1965.

Robert Champigny, *Sur un héros païen,* éd. Gallimard, 1959.

Brian T. Fitch, *Narrateur et narration dans* L'Étranger *d'Albert Camus*, éd. Minard, 1968 ; *L'Étranger d'Albert Camus. Un texte, ses lecteurs, ses lectures*, éd. Larousse, 1972.

Bernard Pingaud, *L'Étranger d'Albert Camus*, éd. Hachette, 1972.

Jean-Paul Sartre, « Explication de *L'Étranger* », in *Situations* I, éd. Gallimard, 1947.

Table des matières

PHOTOS

4 : Archives Nathan. 7 : Photo A.F.P. 8 : Photo OFALAC, Alger.
14 : Harlingue / Viollet. 45, 52 : Nathan / Bibliothèque Nationale.

DIRECTION D'ÉDITION : **Françoise Juhel**
SECRÉTARIAT D'ÉDITION : **Rémi Thibault, Annie Chouard**
CONCEPTION : **Christine Chenot**
MAQUETTE : **Frédérique Buisson**
COUVERTURE : **Juliette Saladin**

Aubin Imprimeur

LIGUGÉ, POITIERS

Achevé d'imprimer en mars 1992
N° d'édition 10008276 III-19 (OSB-80) C 2000
N° d'impression L 39656
Dépôt légal mars 1992 / Imprimé en France